KB195922

문화도시

그 풍경과 속살

박 선 정 문 화 칼 럼

광주 in

사람

국립아시아문화전당

동아시아

문화도시
그 풍경과 속살

문화 in

공간

공연예술

정책

심미안

모건 네빌이 감독한 다큐멘터리 영화 〈요요마와 실크로드 앙상블〉을 숨죽이며 보았다. 카프카의 말처럼 얼어붙은 내면의 얼음을 깨는 도끼질을 온몸으로 느끼면서. 대학에서 음악학과 학생들을 대상으로 강의를 하고 있는데 한 학기 동안 내내 목청을 돋우면서 했던 말들이 첼리스트 요요마, 이란의 카만체 연주자 카이안, 스페인 가이타(백파이프) 연주자 크리스티나, 시리아 클라리넷 연주자 키난의 대사를 통해 살아 있는 언어로 실감나게 표현되고 있음을 보고 소름이 돋았다.

그렇다. 음악은 시공을 뛰어넘어 영원한 공감을 준다. 아픔을 치유하고 위로해준다. 음악은 무엇을 할 수 있는가? 요요마가 품은 그 화두는 서양 클래식 악기와 전통악기를 만나게 했으며 실크로드 앙상블로 이끄는 길을 열어주었다. 여기에 연주자의 이질적인 문화적 배경이나 자국의 정치적 현실은 문제가 되지 못했다. 그들은 전 세계 33개국에서 순회공연을 했으며 이 평화의 전도사들의 공연을 보려고 200만 명 이상의 관객들이 몰려왔다.

나에게 음악의 사회적 가치에 대해 눈을 뜨게 해준 책이 있다.

팔레스타인 출신 미국의 사상가 에드워드 사이드와 세계적인 피아니스트이자 지휘자인 다니엘 바렌보임의 대담집인 『평행과 역설(Parallels & Paradoxes)』이다. 이 책에는 정치와 문화, 음악에 대한 탁월한 통찰력이 담겨 있다. 두 사람은 다양한 음악적 주제를 가지고 창조적이며 또한 역설적인 관점으로 대화를 이끌어간다. 이들의 의기투합의 결정체가 중동과 이스라엘 청소년 연주자들로 구성한 서동시집 오케스트라(West Eastern Divan Orchestra)다.

바렌보임은 중동지역 평화와 화합의 상징인 청소년 오케스트라 창설에서 한발 더 나아가 작년 12월 새로운 프로젝트에 돌입했다. 베를린에 중동 출신 학생들을 위한 음악학교 '바렌보임 사이드 아카데미'를 개설한 것이다. '유토피아의 실험'이라는 이 아카데미는 연간 90명씩 중동 지역 출신의 재능 있는 젊은이들을 모아 음악이라는 수단을 통해 평화로 향한 길을 열고자 하는 것이다.

지난해 미국 가수 밥 딜런이 노벨문학상 수상자로 결정된 사건은 나로 하여금 음악의 사회적 역할에 대한 더욱 뚜렷한 확신을 갖게 만들었다. 그러면서 실기 위주의 음악교육 때문에 음악이 근본적으로 지향해야 될 인문학적 전인성(全人性)과 점점 거리가 멀어지고 있는 우리 현실이 더욱 안타깝게 여겨졌다.

인문학을 우리는 문사철(文史哲)의 학문으로만 이해하려는 경향이 강한데 기실 음악이 인문학이며 미술, 문학이 인문학이다. 그래서 세계적인 명문대학들, 하버드나 프린스턴, 스탠퍼드, MIT 학생들은 음악, 미술, 문학 등 문화예술을 인문학으로 배우고 있다. 예를 들어 하버드대학에서는 일반교양 과목으로 모든 학생이 음악을 배운다. 일반교양 과목은 8개 카테고리로 구분되어 졸업 때까지 전부 이수해야 하는데 예술 관련 과목은 '미학적·해석적 이해' 카테고리에 포함되어 있다.

음악을 인문학의 맥락으로 바라보면 밥 딜런의 노벨문학상 수상은 매우 자연스런 현상이다. 그래서 바렌보임과 같은 인문주의 음악가들의 발언과 행동에 공감하며 귀를 기울이게 된다.

인문학은 인간 내면의 존엄성을 추구하고 회복하려는 학문이다. 그것은 또한 아름다움을 성취하고 인식하고자 하는 욕구이며 평화를 지향하는 마음이다. 문화예술이 추구하는 가치와 일맥상통하다. 그것은 요요마와 실크로드 앙상블에 참여한 예술가들과 바렌보임, 밥 딜런 등과 같은 음악가 그리고 한국의 블랙리스트에 이름을 올린 예술가들이 가장 평화롭게 자신의 생각을 표현하는 무기이기도 한다.

지금도 타오르고 있는 촛불민심은 낡은 체제와 결별하고 새로운 세상을 열고자 하는 결연한 다짐일 터이다. 그 와중에 블랙리스트와 마주친다. 이 블랙리스트는 인간의 존엄성을 침해한다는 점에서 반(反)인문적이며 반(反)인륜적이다. 박근혜 정부의 문화융성이 얼마나 거짓과 허구였는지 참담할 뿐이다. 이 땅의 올곧은 문화예술인들을 차별하고 배제해서 어떻게 문화융성을 이룰 수 있겠는가?

그런데 이 블랙리스트라는 검은 손길이 내가 근무했던 당시의 광주문화재단에도 미쳤음을 뒤늦게 알게 되었다. 국정원이 작성한 것으로 추정되는 지방문화재단의 좌편향성을 지적한 문건이 어느날 TV뉴스에 보도되었다. 광주문화재단이 월북음악가인 정율성 추모음악제를 지원한 것을 문제 삼은 문건이었다.

광주가 낳은 자랑스런 항일운동가이자 현재도 중국 최고 음악가로 추앙받고 있는 정율성 선생을 그들은 북한에서 활동했던 행적만을 언급하면서 정율성음악제 개최자인 광주문화재단을 좌편향으로 분류한 것이다. 그 결과 실제로 2014년부터 국비 지원이 중단되었다.

따지고 보면 박근혜 정부가 얼마나 개념 없는 정부인가는 2016년부터 윤이상국제음악콩쿠르 국비지원을 전격 중단한 사실로도 알 수 있다. 한국이 자랑하는 세계적인 작곡가 윤이상 선생의 업적을 기리는 윤이상국제음악콩쿠르는 2006년에 국내 처음으로 국제음악콩쿠르세계연맹에 가입하면서 젊은 연주자의 등용문으로서 세계적 권위를 인정받았으며 급기야 2015년에 개최지 통영이 유네스코 음악창의도시로 선정되는 데 결정적 역할을 했다. 그럼에도 불구하고 윤이상 선생을 1967년 동백림 사건 연루자라는 해묵은 이념 논쟁으로 발목 잡아 예산지원을 중단함으로써 한국의 첫 국제콩쿠르를 무산시키려 하는 것이다. 더군다나 올해가 윤이상 탄생 100주년인데 국제적인 망신거리가 아닐 수 없다.

어느 글에서 광주가 세계5대 비엔날레라고 하는 광주비엔날레를 개최하고 제1호 동아시아문화도시 선정, 유네스코 미디어아트 창의도시 네트워크 가입과 더불어 국립아시아문화전당 개관이 되면 광주라는 도시브랜드가치는 상승될 것이 분명하다고 쓴 적이 있다. 그렇다면 현 시점의 광주는 문화도시로 자리매김 되었다고 말할 수 있을까? 대규모 페스티벌과 이벤트로 관람객을 동원해 광장을 꽉 채웠다고 문화도시가 되는 것이 아니라는 것쯤은 알고 있는 세상이다. 도시 곳곳에서 공허함, 허전함과 맞닥뜨린다. 시민의 일상적 삶의 공간을 문화적으로 회복해야 한다. 관(官) 의존성에서 벗어나야 한다. 행정 관료가 문화를 기획하고 해석해서 공급하는 관습은 바람직하지 못하다. 행정은 소박하더라도 옹골차게 동네에서 주민들이 스스로 만들 수 있는 환경을 조성해주면 된다. 건강한 문화 창작자와 향유자가 되도록 문화의 근육을 키워주는 역할이다.

결국, 광주의 도시브랜드가치의 상승은 체감되지 않는다. 나는 갈급한 심정으로 문화칼럼을 썼다. 주제가 동아시아문화도시, 아시아문화전당, 공연예술현장, 문화정책 등으로 모아진 것은 당연한 귀결일 터이다.

그간 무슨 일을 했나 자문해본다. 한없이 부끄러울 뿐이다. 이 글들을 다시 세상 밖으로 보내려고 하니 망설여지고 민망했다. 그럼에도 용기를 낸 것은 철이 들었던 20대부터 지금까지 일관되게 나를 붙잡았던 것이 문화예술 영역이었기 때문이다. 세상에 나와 손 내민 첫 명함이 '극단 신명 상임기획'이었다. 스물네 살 때 일이다. 그 후 많은 부침 속에 시련과 좌절을 겪으면서도, 거친 세월의 강을 건너면서도 놓지 않았던 동아줄 같은 끈이 문화예술이었던 셈이다. 문화행정가, 예술경영가, 문화기획자로서 여태 이력을 이어가고 있는 것을 볼 때 이 일이 내 천직이었던 모양이다.

여기에 모은 글들은 2011년부터 2016년까지 6년간 신문에 게재한 칼럼을 중심으로 구성하였다. 지금 시점에서 다시 들추어 보니 어색하고 부자연스런 부분도 없지 않다. 그러나 위안을 삼은 대목은 대부분의 글이 광주가 진정한 문화도시로 가는 길을 제시한 공공성을 바탕으로 하고 있다는 점이었다.

〈광주일보〉와 〈전남일보〉, 〈무등일보〉, 〈광남일보〉 등의 지면에 거의 한 달에 한 번 꼴로 글을 썼다. 뿐만 아니라 예향, 대동문화,

아시아문화 등에 쓴 글들도 함께 실었다. 글을 쓸 당시의 직함도 여러 번 바뀌었다. 광주문화재단 사무처장, 동아시아문화도시 기획단장, 2014문화의 달 기획단장, 아시아문화개발원 이사, 광주대학교 음악학과 겸임교수. 지금은 지역의 문화영역을 도시재생과 문화관광을 통해서 끊임없이 확장시켜가는 일을 하고 있다.

고마움을 전해야 할 분들이 있다. 지면을 할애해 글을 실어준 신문사와 잡지사 관계자들, 신문에 실렸던 글을 읽어주고 코멘트해준 독자들, 꼼꼼하게 책을 제작해준 심미안 송광룡 대표와 출판사 식구들, 광주의 문화예술의 현실을 앞에 두고 숱한 밤을 같이 지새운 예술가와 문화기획자들, 그리고 인생의 길목마다 버팀목이 되어주신 은혜로우신 하나님께 감사드린다. 아울러 여러모로 부족하지만 아직도 사랑으로 지지해주고 내일을 위해 기도해주는 아내와 가족에게 감사의 마음을 전한다.

2017년 봄이 오는 길목에서
박서정

제2장　문화 in

제1장

광주 in

+

사람

국립아시아문화전당

동아시아

밥 딜런과 다니엘 바렌보임

올해 노벨문학상 수상자로 미국 가수 밥 딜런이 선정되자 충격적이라는 반응이 대다수였다. 그럴 만하다. 밥 딜런의 노래들은 1960년대 반전, 평화, 저항의 상징이었으며 그의 이름은 시대의 아이콘과 동의어였기 때문이다.

스웨덴 한림원이 밥 딜런에게 노벨평화상이 아닌 노벨문학상을 수여함으로써 문학의 지평을 넓혔다는 평가와 함께 문학계의 문제 제기도 아울러 증폭되고 있다. 그런데 정작 그는 아직까지 노벨상 수상에 대해 침묵하고 있어 수상거부의 가능성까지 제기되고 있는 실정이다.

노벨문학상이 문학이라는 고유의 영역에만 얽매이지 않겠다는 태도변화는 기실 작년부터 감지되었다. 벨라루스의 여성 저널리스트 스베틀라나 알렉시예비치가 집단인터뷰를 통해 얻은 생생한 기록을 담은 논픽션 작품들에게 노벨문학상을 준 사건이 파격적 행보의 단초였던 셈이다.

아무튼 음유시인 밥 딜런에게 노벨문학상을 수여한 것은 시와 노래는 본래 하나였다는 메시지가 강하게 읽힌다.

그런데 인문학이라는 맥락에서 살펴보면 문학과 음악은 같은 범주 안에서 태동했었다. 이탈리아 최고의 시인으로 르네상스 인문학의 효시인 프란체스코 페트라르카는 도덕철학, 역사, 문학, 예술, 논리학 이 다섯 분야를 인문학 교육과정의 기본 틀로 생각했다.

　또한 니체 전문가로 유명한 미국의 철학교수이자 인문학자 월터 카우프만(Walter Kaufmann)은 '인문학의 미래'에서 인문학이란 "철학과 종교, 문학과 역사, 음악과 미술에 관한 연구"라고 말한다. 주로 문사철(文史哲)의 학문으로 알려진 인문학은 문화예술을 포함하는 영역으로서 대학의 울타리 안에만 머물러 있는 학문이 아니라는 것이다.

　하지만 우리 음악은 대학의 편제에 의해 예능으로 분류된다. 게다가 음악은 오로지 순수해야 한다는 믿음과 가속화된 전문화 추세는 음악을 기능주의의 틀 안으로 가두고 말았다. 그 결과 음악교육은 실기 위주가 되어 음악이 근본적으로 지향해야 할 인문학적 전인성(全人性)은 소멸된 지 오래다.

　인문학적 사고와는 담을 쌓은 채 자기 장르에만 매달리는 연주자들로 넘쳐나는 현실에서 밥 딜런의 노벨문학상 수상은 인문학으로서의 음악의 역할에 대해 간과할 수 없는 시사점을 주고 있다.

　밥 딜런 음악이 사회에 던진 파장은 두 가지다. 하나는 음악이 문학과 결합해 문학과 음악의 지평을 동시에 확장했다는 것과 또 하나는 사회적 약자에 대한 관심을 노래함으로써 음악이 세상을 변화시킬 수 있는 도구임을 환기시켰다는 점이다. 특히 후자의 경우처럼 음악의 사회적 가치는 매우 중요한데 대다수의 음악가들은 이 부분은 침묵하고 자기 영역에만 극단적으로 매진할 뿐이다.

이러한 현실에서 세계적인 지휘자이자 피아니스트인 다니엘 바렌보임의 행보는 매우 이례적이라고 해야 할 것 같다. 그가 팔레스타인 출신 미국의 사상가 에드워드 사이드와 나눈 대담집인 『평행과 역설』이나 자신이 직접 저술한 『음악 속의 삶』에는 정치와 문화, 음악에 대한 탁월한 통찰력이 담겨져 있다. 그는 예술가란 스스로에게 진실하기 위해 절대로 타협하지 않는 용기를 가져야 하며 따라서 예술가가 되는 것은 주류에 역행하는 것을 의미한다고 말한다.

그는 옳다고 생각하는 것을 행동으로 옮길 줄 알았다. 에드워드 사이드와 함께 팔레스타인을 비롯해 레바논 등 아랍국가와 이스라엘 젊은이들로 '서동시집 오케스트라'를 창단하고 분쟁지역에 들어가 연주했다. 그중 가장 과감하고도 감동적인 그림은 2005년에 포성이 울리는 팔레스타인 자치지구 임시수도 라말라에서 감행한 연주였다. 그리고 2011년 광복절, 임진각 야외공연장의 평화콘서트에서 베토벤 교향곡 9번 합창을 지휘한 모습도 잊지 못할 장면으로 기억된다.

밥 딜런의 노벨문학상 수상 소식이 한국의 음악교육을 다시 돌아보는 계기가 되었으면 한다. 우리가 다니엘 바렌보임과 같은 인문주의 음악가들의 발언과 행동에 주목해야 하는 이유이다.

– 〈전남일보〉, 2016. 10. 26.

작가 한강과 에딘버러,
그리고 국립한국문학관

　맨부커 국제상을 수상한 광주 출신 한강 작가의 바람이 거세게 불고 있다. 노벨문학상과 더불어 세계 3대 문학상 중 하나를 거머쥔 쾌거였으니 그럴 만하다. 한때 인쇄소에서 작품을 찍는 속도가 주문량을 따라가지 못할 정도였다. 수상작인 『채식주의자』는 단박에 베스트셀러 1위에 등극했고 그녀의 다른 작품, 5월 광주를 배경으로 한 『소년이 온다』와 신작 소설 『흰』도 상위권으로 뛰어올랐다.

　영미권의 주류언론과 출판계 저널들은 올해 초부터 작가 한강을 대대적으로 조명해서 수상 가능성을 예고했다. 그런데 그 조짐은 작년 세계적 권위의 '에딘버러 국제 북 페스티벌'에서 엿보였다. 『채식주의자』가 출판계와 언론으로부터 큰 관심을 받은 것이다.

　세계적인 축제도시로 알려진 에딘버러는 영국 출판산업의 진원지이면서 독서운동의 중심지다. 다양한 문학축제는 도시마케팅 전략으로 활용되고 있다. 그중 대표적인 축제가 '에딘버러 국제 북 페스티벌'이다.

　2011년 8월 '자스민 광주'를 가지고 '에딘버러 프린지 페스티벌'에 참여했을 때의 일이다. 일주일 동안 짜인 공연일정의 빈틈을 이용해 북 페스티벌이 열린 구시가지에 들렀었다. 행사 장소인 야외 광장에는 하얀 텐트가 도열해 있고 그 안에 출판사들이 내놓은 책들이 쌓여 있다. 각 텐트마다 책의 바다로 장관을 이뤘다. 그리고 시간대별로 책과 관련한 강연, 토론, 워크숍 프로그램이 열린다. 광장의 의자는 독서 삼매경에 빠진 사람들 차지다. 그때 나는 문학도시 에딘버러 시민들을 한없이 부러운 눈으로 바라봤던 기억이 아직도 새롭다.

에딘버러는 유네스코 창의도시에 문학 분야로 이름을 올린 최초의 도시다. 어린 시절 상상력의 보고였던 『피터팬』, 『셜록 홈즈』, 『지킬박사와 하이드』, 『보물섬』은 에딘버러 출신 작가들이 낳은 세계적인 문학작품이다. 『해리포터』로 유명한 조앤 K. 롤링도 에딘버러를 무대로 글을 쓰고 있다. 이러한 풍성한 문학적 전통은 도시발전의 동력이 된다. 출판이나 번역, 교육, 독서, 페스티벌 등 문학을 바탕으로 한 활동들이 문학계, 학교, 지역사회 등 다양한 영역에서 활발하게 추진되고 있는 것이다.

작가 한강의 인기가 열풍으로 번져가는 가운데 국립한국문학관 유치전도 뜨겁다. 전국의 지자체 24곳이 유치 경쟁에 뛰어들었다. 지자체마다 출신 작가나 작품 등 문학적 자산을 널리 활용함으로써 도시의 브랜드 가치를 높이려 안간힘이다.

문학은 창의산업의 원천인 콘텐츠를 생산하고 창의적 인재를 길러내는 뿌리임에도 그동안 저평가 되었다고 말해도 틀린 말은 아니다. 국립이라는 타이틀이 붙은 박물관, 미술관, 도서관, 극장에 비해서 길게는 70년이 늦은 사실 하나만 보더라도 그렇다. 그런데 각도시들이 한국문학관을 유치하고자 하는 배경에는 에딘버러처럼 문학의 무한한 잠재력을 도시발전과 접목시킬 호기로 삼고자 하기 때문이다. 문학은 창조성을 바탕으로 침체된 도시경제를 살릴 힘이 있다. 인문도시 혹은 문학도시로 호명된다는 것은 도시의 품격과 동의어가 되며 도시의 경쟁력을 상징하게 된다.

광주도 유치를 신청한 24곳 가운데 하나다. 그런데 신청 이후 별다른 움직임이 안 보인다. 문학테마파크라는 큰 그림을 그리고 있는 서울 은평구나 도 차원에서 경쟁력을 높이기 위해 춘천으로 후보지를 단일화시킨 강원도, 국제문학포럼을 수년간 개최하면서 세계문학에 대한 담론을 제시해온 인천, '한강 마케팅'으로 분위기를 띄우고 있는 전남 장흥과 극명하게 대비된다.

국립한국문학관 유치신청이 다만 생색내기로 그친다면 곤란하다. 지역의 문화적 역량 강화가 끊임없이 요구되는 시점에서 문학 융성을 통한 도시발전 전략을 결코 간과해서는 안 되기 때문이다.

차제에 꺼져버린 광주문학관 건립의 불씨를 살려보자는 결기 있는 말들이 오가고 있다. 광주시가 국립한국문학관 후보지선정 발표 이후 무엇을 할 것인가를 지켜보는 눈들이 늘어나는 이유이다.

– 〈전남일보〉, 2016. 6. 8.

천경자를 기억해야 할 이유

지난 10월 26일 광주 학동 백화마을 옛터에 백범 김구 선생 기념 관이 문을 열었다. 뜬금없는 백범기념관이냐며 의아해 할 사람들도 있을 터이지만 이 기념관은 광주가 김구 선생을 기억하고 그 흔적 을 간직하려는 아름다운 인연에 다름 아니다.

해방직후인 1946년, 김구 선생은 광주를 방문한다. 그는 광주천 변에서 움막을 짓고 사는 재외귀국동포들의 사정을 듣고 이들을 도 우라며 성금을 쾌척했다. 이 돈이 종잣돈이 되어 '백화마을'이라는 정착촌이 형성되었다. 김구 선생의 뜻에 따라 '백 가구가 화목하게 살라'는 의미를 담았다.

1946년 같은 시기에 모교인 전남여고 미술 교사로 재직하면서 학교 강당에서 첫 개인전을 연 당찬 화가가 있었다. 천경자. 그 후 그녀의 삶과 예술은 한 편의 완벽한 드라마가 된다. 1947년에는 오 지호, 허백련, 윤재우 등과 함께 단체전에도 참여하면서 서서히 남 성 중심의 보수 화단에서 그녀만의 뜨거운 예술혼으로 독특한 아우 라를 구축해 나갔다. 동양화가이면서 천경자 스타일로 불리는 독자 적인 밝은 채색 화풍으로 한국 근현대미술의 대표작가 반열에 자리매김 했다. 몽환적이면서도 당당한 야생의 힘이 느껴지는 그녀의 그림들을 보라. 이 기묘한 조합의 작품들은 천경자를 한국미술의 전설로 만들기에 충분하다.

그러한 그녀가 2003년 뇌출혈로 쓰러졌고 급기야 지난 8월 미국 뉴욕 자택에서 사망했다고 한다. 그리고 10월 30일, 1998년 미국으로 떠나기 전 자식과도 같은 93점의 작품을 기증했던 서울시립미술관에서 뒤늦은 추도식이 열렸다.

생전에 천경자와 좋은 술친구였던 고은 시인은 "천경자는 누구인가. 그는 그것밖에 어떤 것도 될 수 없는 천형(天刑)의 예술가이다"고 평했다. 소설가 박경리는 "천경자는/가까이 갈 수도 없고/멀리 할 수도 없다/(중략)/꿈은 화폭에 있고/시름은 담배에 있고/용기 있는 자유주의자/정직한 생애/그러나 그는 좀 고약한 예술가다"는 시를 남긴 바 있다.

그런데 급작스런 천경자의 죽음을 두고 여기저기서 그녀의 예술세계에 대한 재조명이 이뤄지고 마땅히 금관문화훈장을 추서해야 한다는 여론이 활발함에도 광주는 그저 남의 일처럼 고요할 뿐이다.

광주공립여자보통학교(현, 전남여고) 학생으로, 전남여고 교사로서, 조선대 미술학과 교수로서 10여 년 동안 활동했던 공간인 광주는 그녀의 죽음 앞에서 그 어떠한 존재감도 드러나지 않고 있다. 더군다나 광주시립미술관은 천경자의 드로잉 작품 20점을 소장 중이다. 뿐만 아니라 무산되었지만 2009년에는 천경자미술관을 건립하기 위해 70억 원의 예산까지 세웠던 일도 있다.

이탈리아의 세계적 건축가인 로시(Rossi)는 도시공간은 그 자체로 역사를 보관하는 저장소라는 점에서 도시를 역사의 유산으로 설명한다. 시간과 더불어 건설되면서 시간의 편린과 흔적을 간직하는 구체적인 인공물로서 도시를 바라보는 관점이다.

그러한 맥락에서 백화마을 옛터에 세워진 광주백범기념관은 해방공간 속에서 광주와 김구 선생을 연결하면서 역사의 숨결을 느끼게 하는 저장소가 되고 있다. 그런데 천경자 화백의 경우는 어떤가? 불꽃같은 예술혼으로 10대와 20대 청춘을 보낸 광주에서 그녀의 체취를 찾아보기 힘들다. 그녀를 다만 추억 속에서만 머물게 해서는 안 된다. 천경자는 우리의 추억이 아니라 욕망이 되어야 한다.

광주가 역사를 가진 문화도시라면 흔적과 집단적 기억으로서의 도시 공간, 광주에 담긴 천 화백과의 아름다운 인연을 어떤 방식으로든 기념해야 한다. 광주시립미술관의 드로잉 작품은 빨리 공개하는 게 좋다. 더불어 전남여고 교정이나 조선대쯤에 천경자를 추모하는 추모비를 세우거나 추모공간을 조성해야 할 까닭은 충분하다.

추도식장에서 유족이 낭독한 천화백의 회고록 한 구절이 가슴을 때린다.

"나의 삶은 그림과 함께 인생의 고달픈 길동무처럼 멀리 이어질 것이다."

— 〈전남일보〉, 2016. 11. 4.

한국 서예의 총림,
학정(鶴亭)과 연우회(硯友會)
- 제38회 연우회 서예전에 부쳐

지난해 12월은 눈 내리는 날이 많았다. 구랍 17일 연우회 서예전이 열리고 있는 유스퀘어문화관 금호갤러리를 찾은 날도 쌓인 눈길을 헤치며 가야 했다.

전시장 입구에 들어서는 순간, 여러 필법과 5체가 물처럼 바람처럼 자유자재로 흘러감을 느낄 수 있었다. 가히 서예의 바다를 이루고 있었다. 학정서예연구원에서 갈고닦은 연찬의 결실이 옹골차게 펼쳐진 것이다. 한 스승의 제자들은 38년 세월 동안 연우회(硯友會)라는 명문 중의 명문 서예총림을 형성했다. 아름답게 다져진 예술적, 인적 네트워크인 셈이다. 이번 전시에는 116명이 참여했는데 그동안 대략 1만여 명이 이 총림을 거쳐 갔다. 이 중 국전 초대작가는 30여 명을 배출했고 독립해서 자기 서실을 갖고 제자들을 양성하고 있는 회원들도 수십 명이나 된다.

학정 이돈흥(李敦興) 선생은 1975년 호남동 천주교회 내에 학정서예연구원을 설립한다. 그해 제자들의 모임인 연우회가 결성되고 1977년에 첫 번째 연우회전이 광주학생회관에서 열렸다. 한 해도 거르지 않고 면면히 이어온 연우회 서예전은 어느덧 38년의 장년이 되어 원숙함과 활달함을 동시에 획득했다. 학정과 그 제자들이 형성하고 있는 아름다운 관계를 보면서 우리의 전통 남종화의 정신과 기법을 지키고자 했던 의재 허백련 선생과 연진회(鍊眞會)가 떠오른다. 몇 년간의 방랑생활을 청산하고 광주에 정착한 의재 선생이 전통서화 진작과 후진 양성을 목적으로 연진회를 결성한 때가 1938년이었다. 구당 이범재, 근원 구철우, 동강 정운면, 목재 허행면 등 남도 화단을 빛낸 걸출한 화가들이 창립회원으로 참여했다. 그 전통을 이어 작년에 세상을 뜬 희재 문장호, 옥산 김옥진, 금봉 박행보 등은 현재도 창작열을 불태우고 있다. 그러나 세월의 무상함 속에 연진회 활동은 유명무실화된 아쉬움을 남기고 있다.

언젠가 학정 선생 서실에 걸려 있는 송곡 선생 글씨를 본 적이 있다. 천마산인(天馬山人) 송곡 안규동(松谷 安圭東) 선생은 학정 선생의 스승이다. 그 스승은 1974년 제자 집을 찾아와 평생 동안 간직할 좌표로 삼으라며 글씨 한 점을 남긴다. '일심(一心)'이다. 큰 붓으로 한 일과 마음 심을 마치 두 줄의 평행선처럼 길게 쓰셨다. 그리고 그 밑에 자은 붓으로 평생일펴서심(平生一片書心)이라는 해석을 다셨다. 평생을 변치 말고 흔들리지도 말고 하나의 마음으로 글을 쓰라는 스승의 당부였다. 학정 선생은 이 스승의 당부를 지금까지도 올곧게 지켜가고 있다. 서예에 관한 강한 열정과 지칠 줄 모르는 탐구정신은 제자들도 혀를 내두를 정도다. 또한 호남서맥을 계승한 스승의 뜻을 기리기 위해 2004년 3월 무등산 아래 문빈정사 앞뜰에 송곡 선생 기적비를 세웠다.

그런데 송곡 선생이 학정에게 써준 이 '일심'은 송곡의 스승인 설주 송운회(雪舟 宋運會) 선생이 세상을 뜨기 하루 전에 쓴 글자라는 내력이 있다. 설주 선생은 가족들이 지켜본 가운데 화선지에 큰 붓으로 '일심'이라는 두 글자를 남기고 낙관도 하지 못한 채 자리에 누웠다고 한다. 그때가 1965년 3월 27일이다. 그는 임종의 순간까지도 붓으로 예도(藝道)를 실천한 탈속의 서예가였다.

설주 선생의 글씨는 사심 없는 인품과 학문의 깊이가 바탕을 이루는 고졸(古拙)함을 특징으로 한다. 그의 작품에 대한 감상평 중에는 "백로 한 마리가 강을 건너 하얀 선을 그으며 날아가는 것 같다."는 말이 가슴에 와 닿는다. 세속의 때가 묻지 않은 설주의 작품 세계를 일컫는 말일 터이다.

설주 선생의 서예 세계는 근대 호남 서예의 근간이 되었다. 직접 손 붙잡고 가르친 제자는 없었다 할지라도 그의 서예정신은 인근의 보성군 복내면에서 성장한 송곡 안규동 선생을 거쳐 학정 이돈흥 선생으로 그 맥이 이어진다. 송곡 선생이 노구를 이끌고 직접 제자의 집을 방문하여 스승의 마지막 유언과도 같은 글자 '일심'을 써준 까닭도 스승과 같은 올바른 서예정신으로 가라는 준엄함이 서릿발처럼 서려 있으리라 짐작한다.

설주와 송곡의 호남서맥을 계승한 학정 선생은 흔히 동국진체의 맥을 잇고 있다는 평을 받고 있다.

동국진체는 옥동 이서(玉洞 李漵)에서 비롯되었다. 옥동은 해동의 명필로 일컬어지는 서예가로서 글씨가 심오하고 정교했다는 평을 듣는다. 옥동의 가장 큰 업적은 조선 서예사상 최초의 서론인 '필결(筆訣)'의 저술로서 학문과 예술을 접목시켜 서예사에 이론적 토대를 구축한 일이다. 중국의 왕희지에 심취한 결과 그의 글씨는 일가를 이루었다. 그의 글씨를 옥동체라 불렀는데 동국진체의 맥락은 바로 옥동 선생의 옥동체에서 시작된다. 이것이 공재 윤두서(恭齋 尹斗緖)에게 전해졌고 다시 공재의 이질인 백하 윤순(白下 尹淳)에게 전해졌으며 백하의 제자인 원교 이광사(圓嶠 李匡師)에 이르러 완성되었다고 전해진다. 원교 선생은 진·초·예·전서 모두 능했으며 그의 독특한 서체인 '원교체(圓嶠體)'를 이루었다.

이번 연우회 서예전은 '대숲에 부는 맑은 바람'으로 주제를 삼았다. 대(竹)를 소재로 읊은 한시들을 다양한 필법으로 표현한 것이다.

대나무는 사시사철 푸르다는 것이 사군자로 불리는 덕목 중의 하나이다. 한겨울 눈 속에서도 늘 푸른 한결같은 모습이 가치 있게 평가되었다. 전시장 밖에는 하얀 눈이 수북이 쌓여 있어서 오늘의 주제인 대나무의 의미를 더욱 돋보이게 한 전시가 되었다.

대나무에 대한 애정도 가지가지여서 사람들은 여건에 따라 대숲을 조성하기도 하고 분재로 길러 늘 가까이하기도 하며, 이를 그림과 글씨로 대신하여 완상하기도 한다. 특히 수묵의 한 붓으로 펼쳐 그린 묵죽은 대나무의 호방한 심성을 표현하기에 적합하여 가장 많이 그려졌다.

조선시대 문인들은 스스로도 묵죽을 즐겼을 뿐 아니라 화원화가들 사이에서도 많이 그려졌다. 이는 도화서 화원을 뽑는 시험에서 가장 배점이 많은 화목이 묵죽이었던 것과 무관하지 않다. 묵죽이 산수나 인물보다 더 우선시되었다는 사실은 조선시대 묵죽화의 비중이 어느 정도였는지를 가늠하게 한다. 일제강점기에는 서예와 함께 사군자만을 중점적으로 그린 화가들이 많았다. 사군자가 갖는 강인함이라는 상징성은 질곡의 시기를 견디는 힘이기도 했다. 특히 사시사철 푸르고 곧은 대나무를 좋아했던 것도 그러한 이유였다.

연우회 서예전에 나온 대나무에 관한 여러 글들은 이러한 대나무의 특징들을 잘 포착하여 격조 있게 읊은 시편들이다. 간간이 보이는 대나무 그림들도 문인화의 향기를 짙게 풍겨준다.

전통 문인화에서 이상적인 그림이란 시서화(詩書畵) 즉, 시와 서 그리고 그림이 조화를 이루는 것이었다. 그래서 시를 잘 짓고 글씨를 멋있게 쓰며 그림을 훌륭히 그리는 것을 가리켜 시서화 삼절(三絶)이라 불렀다. 학정 선생이 기분이 좋을 때 매화 그림을 즐겨 그리는 것도 그러한 맥락에서 이해된다.

연우회는 연우회 서예전뿐 아니라 전국학생서예작품 공모전도 해마다 개최하고 있다. 이는 33년 동안 이어져온 핵심 사업이다. 서예가 갖고 있는 엄청난 에너지를 어린 학생들에게 심어주고 싶은 학정 선생의 깊은 안목과 따뜻한 마음이 읽혀진다.

세상을 변화시킬 힘은 제도나 법률 이전에 의식에서 나온다. 이 의식혁명은 새로운 문화의 바람을 타고 형성된다. 서예는 문화예술의 바람이 되기에 충분한 조건을 갖추고 있다. 서예는 깊은 철학적 성찰과 연마의 결과로 체득한 도(道)를 구현하는 예술이며 더불어 수신(修身)의 예술이기 때문이다. 그러나 오늘의 서예계는 너무 힘들다. 속도를 강조하는 이 시대는 실적과 성과지상주의로 흘러가고 있다. 자신을 반성하고 성찰할 시간적 여유조차 잃고 산다. 서예인구도 그만큼 빠져나갔다. 그렇게 살아서 무엇이 남겠는가?

은은한 묵향 속에 하얀 화선지를 펼쳐놓고 무아의 경지에 몰입하면서 오늘도 자신을 성찰하고 있는 연우회원들을 보면서 진정으로 가치 있게 사는 일이 무엇인가를 자문하게 된다.

– 월간 『아시아문화』, 2014. 12.

비운의 왕비에 대한 인간적인 해석

– 『마리 앙투아네트 운명의 24시간』
니카노 교코 著/ 이연식 譯/ 이봄 펴냄

　　연일 매진 행렬을 기록하고 있는 뮤지컬 〈마리 앙투아네트〉가 최근 연장 공연을 발표했다. 2월 8일까지 100일간 공연을 채우겠다는 의욕이다. 작년 11월 1일 무대에 오른 이 뮤지컬은 대중에게 친숙한 역사적 사건을 흥미진진하게 다뤄 관객몰이에 성공한 셈이다.

　　마리 앙투아네트. 어떠한 매력으로 200여 년을 훌쩍 뛰어넘어 아직도 우리를 사로잡는 캐릭터로 존재하고 있을까? 그녀를 둘러싼 수많은 이야기들의 진실은 과연 무엇일까? 세계사 교과서에서는 그녀를 사치와 향락의 대명사로 꼽히는 희대의 악녀로 묘사하고 있다. 그러나 시대의 격류에 휘말린 비운의 왕비라는 평가도 함께 존재해온 터이다.

　　오스트리아 황실의 공주로 태어나 프랑스 국왕 루이 16세의 왕비였던 그녀는 베르사유 궁전에서 화려한 삶을 살다가 프랑스 혁명 때 각종 오명을 뒤집어쓰고 루이 16세와 함께 단두대의 이슬로 사라진다. 그녀의 파란만장한 삶은 수많은 진실과 오해를 내포하게 된다. 이러한 드라마틱한 인생 때문에 그녀의 이야기는 만화, 영화, 드라마, 소설, 뮤지컬로 재탄생 되었다.

오스트리아 출신의 최고의 전기 작가 슈테판 츠바이크는 마리 앙투아네트의 인간적인 내면에 주목했다. 그는 인간심리에 통달한 작가다. 그래서 교과서 속의 역사를 뒤집고 그녀에 대한 재조명을 단행한다. 그는 마리 앙투아네트에 대해 "왕권주의의 위대한 성녀도 아니었고 혁명의 매춘부도 아니었으며, 중간적인 성격에 유난히 영리하지도 유난히 어리석지도 않으며 특별히 선을 베풀 힘도 없을 뿐더러 악을 행할 의사 또한 없는 평범하기 그지없는 여인일 뿐이었다"고 평한다. 그는 기존 전기에 실렸던 진위가 의심스러운 에피소드를 배제하고 비운의 왕비를 인간적으로 조명했다. 그 책이 『마리 앙투아네트 – 베르사유의 장미』다.

나카노 교코는 슈테판 츠바이크가 쓴 이 마리 앙투아네트 평전을 일본판으로 번역했다. 그녀는 와세다 대학에서 서양문화사를 강의하며 다양한 저술활동을 하고 있는 작가다. 국내에서는 『무서운 그림』 시리즈의 저자로 널리 알려져 있으며 많은 팬들을 보유하고 있다. 나카노 교수의 저작을 도맡아 번역하고 있는 이는 젊은 번역가 이연식이다. 그는 학정(鶴亭) 이돈흥 선생의 아들로서 미술사에 새로운 시각을 불어넣는 작업을 해오고 있다.

마리 앙투아네트의 극적인 삶은 나카노 교코의 문학적 영감을 자극했다. 그녀는 자신의 방식으로 이른바 '바렌 도주사건'의 전말을 재구성하고자 했다. 그래서 오랜 시간 연구하고 수집한 자료를 토대로 쓴 책이 이번에 번역 출판 된 『마리 앙투아네트 운명의 24시간』이다. 운명의 날인 1791년 6월 20일, 왕과 왕비가 파리 튈르리궁에서 나와 바렌에서 붙잡히기까지 24시간을 역사적 사실과 작가적 상상력이라는 씨줄과 날줄로 엮어 마치 한 편의 추격영화를 본 것처럼 장면 하나하나가 생생하게 전달된다.

프랑스 왕실의 운명을 건 최후의 도박, '바렌 도주 사건'은 결국 실패로 종결되었다. 마지막 장면은 이렇게 묘사된다. 국경 근처 시골 마을 바렌에 있는 식료품점 주인 소스의 이층집에 발이 묶여 있는 국왕 일행 앞에 국민방위대 소속 대위가 나타난다. 그는 혁명파 지휘자 라파예트 후작의 명령으로 왔음을 밝히고 국민의회 의결서를 루이 16세에게 건넨다. 사실상 체포장이었다. '누구든지 국왕의 이동을 저지하고 왕은 의회의 결정에 따를 것'이라고 명기되어 있었다. 루이 16세는 이제 프랑스에는 더 이상 국왕이 없는 것이라며 체념했다. 그러나 왕비는 의결서를 마룻바닥에 던지며 분노를 터뜨렸다. "이런 종이 쪼가리로 우리를 모욕하다니 용서할 수 없다"며 왕보다 훨씬 왕다운 태도를 보였다.

여기서 국민의회가 등장하게 된 시대적 배경을 살펴보자. 프랑스 왕 루이 16세는 악화된 재정을 메우기 위해 세금문제를 다룰 전국 신분회를 소집했다. 제1신분인 성직자 대표, 제2신분인 귀족 대표, 제3신분인 평민 대표들이 왕의 세금정책에 거수기 역할을 하기 위해 소집된 것이다. 그러나 부르주아를 중심으로 한 평민 대표들은 이런 역할을 거부했다. 등골이 휘도록 세금을 바치는 그들은 전체 인구의 2%에 불과하지만 전체 농지의 40%를 차지하고도 세금 한 푼 안 내는 성직자와 귀족의 횡포를 더 이상 참을 수 없었던 것이다. 더구나 이러한 신분은 세습되었고 영주의 각종 특권과 교회의 십일조 등은 농민들을 무겁게 내리누르고 있었다.

저자는 당시 상황을 아주 구체적으로 그리고 있다. "영주는 베르사유에서 지내며 좀처럼 영지에는 오지 않으면서 수확물의 5할을 가져가는 데다 영주가 독점하는 물레방아와 빵 굽는 화덕의 사용료, 교회에서 거두는 십일조, 소금세, 인두세까지 내야 했다. 다음해 뿌릴 씨 알곡을 빼면 수중에는 거둔 것의 1할밖에 남지 않은 터라 날씨가 조금만 변덕을 부려도 굶어죽기 십상이었다." 따라서 국민의 90%에 가까운 농민의 빈곤은 체형과 피부에서 두드러졌다. "영양 상태는 나빴고 스스로를 보살필 겨를도 돈도 없었기에 총체적으로 키가 작고 야위어 체격이 빈약했고, 치아도 머리도 빠지고 피부는 까칠까칠한 게, 짧은 십대 시절이 지나면 중년 시절이랄 것도 없이 곧바로 노인처럼 되었다."

상황이 이러하니 평민 대표들은 독자적으로 국민의회를 구성할수밖에 없었다. 왕은 이를 진압할 계획을 세웠는데 곧 무참한 학살이 있을 것이라는 소문이 나돌았다. 그러나 파리 시민들은 무장을 갖추어 대항하며 왕권의 상징이었던 바스티유 감옥으로 쳐들어갔다. 마침내 1789년 7월 14일 바스티유 감옥이 함락되었고 혁명의 불길은 전국으로 번졌다. 결국 왕과 귀족들은 물러설 수밖에 없었다. 국민의회가 인정되고 입헌군주제 헌법을 제정하기 위한 작업이 시작된 것이다.

1789년 10월, 혁명의 불길에 휘말려 태양왕 루이 14세가 지은 베르사유 궁전에서 강제 연행되어 온 왕가의 새 거처, 파리의 튈르리 궁은 오랜 기간 방치되어 황폐하기 짝이 없었다. 그러나 여태까지 부박했던 왕비 마리 앙투아네트의 정신은 사지를 헤쳐나오면서 역설적으로 단련되기 시작한다. 긍지 높은 합스부르크가의 피와 부르봉 왕비로서의 자각이 이곳에 이르러 그녀의 내면에서 결합한 것이다. 끝없이 추락하기 시작한 순간, 그녀는 비로소 왕비다워졌다.

그녀는 나중 단두대에 올라서는 순간까지도 의연함을 잃지 않았다. 그녀는 어느 편지에서 이렇게 썼다. "불행해지고 나서야 비로소 자신이 어떤 사람인지 알 수 있습니다."

저자는 마리 앙투아네트가 강한 정신력으로 역경을 견뎌낼 수 있었던 배경에는 연인 페르센과의 뜨거운 사랑이 있었다고 말한다. 스웨덴 사람인 그는 프랑스에 주재하는 무관이었다. 혁명을 저지하려는 외교적인 목적으로 프랑스에 머물고 있었는데 그만 자신에게 몸과 마음 모두를 준 프랑스 왕비와 사랑에 빠지고 만다. 그래서 그녀를 구하기 위해 목숨을 건 탈출 계획을 세우고 진두지휘하게 된다. 당시 궁정의 법도에서 부부는 저마다 애인을 갖고 결코 질투를 하지 않는 것이 미덕이었다. 애초에 결혼이란 가계를 잇고 번영시키는 것이 목적이었기에 그런 정략결혼으로 엮인 남녀가 서로 사랑한다는 것은 가소로운 노릇이고, 진정한 사랑은 결혼 후에 시작하는 것이라는 사고방식이 일반적이었다.

왕과 왕비, 왕태자, 왕녀, 왕의 여동생 등 다섯 명의 왕의 가족들은 집사와 가정교사 등으로 변장하여 삼엄한 경비를 뚫고 튈르리궁을 탈출해 마부로 변신하여 대형 베를린 마차를 끄는 페르센과 함께 도주의 길로 들어선다. 목적지는 파리 동쪽인 오스트리아령 벨기에와 가까운 몽메디였다. 그러나 왕과 왕비의 속셈은 서로 달랐다. 왕비와 페르센은 거기서 벨기에로든 오스트리아로든 망명해서 외국 군대와 합류하여 프랑스로 다시 쳐들어가 혁명파를 분쇄한다는 설계도를 그리고 있었다. 그러나 루이 왕은 달랐다. 파리는 왕권을 부정하는 미친 군중이 장악하고 있기에 빠져나온 것일 뿐, 망명할 생각 따위는 없었다. 몽메디에 머물면서 왕당파 국민에게 호소할 생각이었다. 그러면 저절로 질서는 회복될 것이다는 순진한 확신을 갖고 있었던 터이다.

그러나 운명은 얄궂게도 엉뚱한 방향으로 흘렀다. 페르센이 루이왕에게 떠밀려 봉디의 역참에서 쫓겨난 것이다. 도주극을 총지휘해야 할 페르센이 전반부 무대에서 강제로 퇴장 당했으니 실패는 예견된 일이 될 수밖에. 점차 시간이 흐름에 따라 이들의 모습은 도망자의 모습이 아니라 느긋하게 여행을 즐기는 여행자가 되고 만다. 급기야 페르센이 출발 전에 그토록 주의를 주었건만 샹트리스 역참에서는 신분이 발각되기도 했다.

결국 왕가 일행은 도망에 실패하고 붙잡혀 다시 파리의 튈르리 궁으로 유폐되었다. 그러나 왕비와 그의 연인, 페르센의 사랑의 하이라이트는 바렌 사건으로부터 5개월 뒤에 일어났다. 페르센이 혼자서 튈르리 궁에 잠입한 것이다. 경비는 전보다 훨씬 삼엄했고 수배되어 얼굴이 온 프랑스에 알려진 페르센이 또다시 적지로 잠입하리라는 것은 누구도 상상할 수 없었다. 그러나 마술처럼 앙투아네트 침실에 들어간 그는 기적과도 같은 하룻밤을 보냈다. 단지 사랑하는 사람을 직접 위로하려는 목적만으로 죽음을 불사한 것이다.

저자는 화려한 옷과 보석에 빠진 '적자(赤字)' 부인으로 비아냥거림을 당한 마리 앙투아네트가 오늘날까지도 여성들을 매료시키는 가장 큰 이유는 페르센이 사랑했던 여자였기 때문이라는 의미심장한 말을 남긴다. 당시 페르센은 빼어난 용모에다 교양 있고 용기와 실천력이 뛰어난 남자 중의 남자였다. 마리가 세간에 알려진 것처럼 낭비벽이 심하고 놀기 좋아하는 어리석은 여자가 아닌 그 '무언가'가 있었기 때문에 페르센과 같은 남자의 마음을 오랫동안 강하게 붙들어 맬 수 있었다는 것이다. 여태 알려진 그녀의 모습과는 전혀 다른 관점에서 저자는 관찰하고 있는 셈이다.

당시 프랑스 최고의 화가이자 혁명당원이었던 자크 루이 다비드는 처형장으로 끌려가기 직전의 마리 앙투아네트를 스케치한 초상화를 남겼다. 왕비는 단두대로 가기 전 짐마차에 실려 파리 시내를 돌며 구경거리가 되어 있었다. 잔혹한 그림이지만 마지막 남은 인간의 자존감으로 자신을 지키고 있는 서늘한 의연함이 느껴진다.

그녀는 진정 혁명의 희생양이었던가? 나카노 교코는 문제적 인간, 마리 앙투아네트를 통해 인간의 양면성을 성찰하게 한다.

– 월간 『아시아문화』, 2015. 2.

정동채의 종교순례
『봉정암에서 바티칸까지』

　　세월호 참사로 온 국민이 혼돈에 빠져 있는 와중에 기독교복음침례회라는 한 기독교 교파가 떠올랐다. 세월호의 실소유주 유병언 씨가 이 교파의 실질적 교주이기 때문이다. 검찰과 경찰이 석 달 가까이 그의 뒤를 쫓고 있지만 공권력을 비웃듯이 아직도 행방이 오리무중이다.

　　일명 구원파로 불리는 이 교파가 세상에 화제가 되면서 "종교가 뭐길래" 하는 자조의 소리가 나오고 있다. 특히 기독교 주류 교단으로부터 이단으로 규정받은 이 구원파의 교리가 언론에 노출되자 충격을 받은 사람들이 많다. 실제로 이 구원파는 기독교복음침례회가 아니면 구원을 얻을 수 없고 구원 후에는 죄를 지어도 죄가 되지 않는다고 주장하고 있다. 이러한 이단에 빠지는 사람들은 대개 심적으로 위기에 직면한 사람들로서 믿고 의지하고 싶은 대상을 찾다가 걸려든 경우가 많다고 한다.

　　우리는 종교가 사회를 걱정하는 것이 아니라 사회가 종교를 걱정하는 시대에 살고 있다. 그럼에도 인간은 무언가를 믿지 않고는 살 수 없는 존재이다. 누구도 종교 없이 살 수 없다는 뜻이다. 무신론자도 '무신론'이라는 종교적 신념을 갖고 있는 것이다. 아무튼 종교는 일종의 믿음 체계이기도 하고 궁극적인 삶의 의미일 수도 있다.

그러면 종교란 진정 무엇일까? 이에 대한 정의는 수백 가지 이상일 것이다. 사람마다 보는 관점에 따라 종교의 정의를 다르게 내릴 것이다. 그러나 소박하게 일반화해 본다면 '변화의 체험'이 되지 않을까 생각해 본다. 여러 종교의 경전이나 상징, 신화가 한결같이 공통적으로 지적하고 있는 것이 지금 '이대로의 나'에서 '새로운 나'로의 변화를 이야기하고 있기 때문이다.

기독교 경전에서는 '거듭남'의 체험, '새것', '새사람' 등을 강조하고 불교는 '깨침' 또는 '깨달음', '해탈'로 표현하고 유교는 소인의 위치에서 군자(君子)로, 더 나아가 성인(聖人)의 경지를 말하고 있는데 이것이 근본적인 '변화'를 가리키는 것이다.

그렇다면 어떤 종교를 가져야 할까? 이 문제에 대해 많은 종교학자들은 크게 둘로 구분해서 설명하고 있다. 하나는 '닫힌 종교'이고 또 하나는 '열린 종교'다. 닫힌 종교는 경전을 문자주의로 해석하여 문자 그대로 받아들여 믿고 순종만 하면 복을 받고 불순종하며 벌을 받는다고 가르친다. 이와는 달리 열린 종교는 실상의 새로운 면을 발견함으로써 날마다 새로워지고 열린 마음으로 진리의 더 깊고 넓은 면을 깨쳐가도록 하는 종교이다. 그런데 한 종교 안에도 닫힌 종교와 열린 종교가 동시에 공존한다는 사실이다. 그 종교의 참뜻을 깊이 이해하지 못하고 표피적 문자에만 매달리면 그 종교는 닫힌 종교가 되는 것이고 참뜻을 깊이 깨닫고 자각과 변화의 체험을 맛보면 열린 종교가 되는 것이다.

우리가 정치인으로 익히 알고 있었고 요즈음엔 활발하게 문화와 관련된 활동을 하는 정동채 전 문화부장관이 쓴 종교순례기 『봉정암에서 바티칸까지』를 읽으면서 맨 먼저 드는 생각이 바로 '열린 종교'였다. 이 열린 종교관을 종교학자들은 심층종교관으로 표현하기도 하고 종교다원주의로 부르기도 한다. 이 입장은 자기중심적인 나를 비우고 내 속에 있는 참나를 찾는 길이며 타 종교를 적대시하거나 배척하는 태도를 지양하고 내 종교뿐 아니라 남의 종교를 진지하게 이해하려는 태도이다.

저자는 이러한 열린 종교관을 생활 속에서 실천하며 살고 있다. 가톨릭 신자인 그가 십자가 앞에서 108배하는 것이나 살고 있는 방마다 십자가상에 불상, 성모 마리아상, 미륵보살상을 두고 있음은 알 만한 사람들은 다 아는 사실이다. 그러나 이러한 외형적인 모습보다는 이기적인 자기를 비우고 새롭게 거듭나려는 종교를 체험하려고 노력한다는 점이다. 이번에 출간된 그의 종교순례기는 이러한 노력의 결실로 여겨진다.

저자가 고백하듯이 그는 성직자도 아니고 신학자도 아니다. 그러나 그의 글 여기저기에서 진솔한 한 인간의 종교관이 그대로 묻어나온다. 서문에서 그가 "이제 각각의 종교들은 개인의 구원과 성화, 해탈을 기반으로, 인간 존엄을 위한 대승적 차원으로 자신의 목표와 활동들을 진전시켜야 한다"고 말할 때는 깊은 성찰적 울림을 느끼게 된다. 또한 그는 "지구촌은 하나로 연결되어 있으며 인류 모두가 한 형제자매임을 일깨우는 일은 종교의 위대한 사명이 되어야 하며 만약 그러한 사랑과 자비가 없다면 종교가 아닐 터이므로 종교는 인류가 공멸의 나락으로 빠져드는 것을 막아야 한다"며 종교의 역할을 강조한다. "종교 간의 평화가 없으면 세계 평화가 있을 수 없고 종교

간의 대화 없이는 종교 간의 평화가 불가능하다"고 말한 세계적인 신학자 한스 큉(Hans Kung)의 말이 연상되는 대목이다.

한국 개신교는 그리스도교 선교사상 그 유례가 드물 정도로 선교에 성공한 기적을 이루었다. 한국에 개신교 교회만 4만 개가 넘고 세계 50개 최대 교회 중 23개 교회가 한국에 있다는 주장도 있다. 가톨릭도 성인(聖人)수에서 세계 네 번째로 큰 가톨릭 국가가 되었다. 그러나 신앙을 복을 받는 수단으로 생각하는 기복신앙과 이웃종교와 기독교 내 다른 교파도 배척하는 배타주의적 태도가 만연되어 있음은 큰 문제점이라고 지적하는 신학자들이 많다.

내가 가진 종교적 안목의 제약성을 겸허하게 인정하며, 상대방의 안목에서 배울 것은 배워 나의 안목을 더욱 깊게 하며, 또 내가 가진 것으로 상대방의 안목을 깊게 하는데 도움을 주어야 한다. 저자가 말한 "나의 종교가 중요한 만큼 다른 종교도 존중받아야 한다고 생각한다"와 같은 맥락이다. 그러나 현실은 그렇지 않다. 다양한 종교가 공존하는 사회에서 살고 있으면서도 남의 종교를 이해하려는 태도를 찾기가 쉽지 않다. 특히 기독교 근본주의자들이나 복음주의자들은 성경의 절대적 권위와 그리스도의 유일성만을 강조하고 타 종교와의 어떤 대화도 배격하고 있다.

이러한 태도 때문에 서양에서 그리스도인들의 숫자는 현저히 줄어드는 현실이다. 특히 지성인이나 의식 있는 사람들에게 경원시당하는 숫자가 늘어나고 있음은 부인할 수 없다. 우리나라도 예외는 아니어서 개신교 그리스도인들의 성장세가 멈추거나 감소 추세라고 한다.

저자는 내 종교만을 고집하지 않고 이웃 종교를 이해하기 위해

서 그리스도교뿐만 아니라 불교, 유대교, 이슬람과 천도교 등 민족
종교에 대해 기본 교리나 신앙 행위를 알아야 하겠다는 생각에서
틈틈이 필요한 서적이나 자료들을 수집했다. 해외여행 때는 짬을
내서 종교 유적지나 종교 단체들을 찾았다. 이웃 종교를 어떻게 이
해하고 그 종교들과 어떤 관계를 유지해야 할 것인가 하는 문제를
매우 중요하게 인식했던 까닭이다. 이웃 종교와 대화하고 그들의
종교를 알아본다는 것은 화해와 협력을 넘어서 그리스도교가 다시
활력을 찾는 길임을 깨달았던 것이다.

금세기 최고의 역사학자 아놀드 토인비(Arnold Toynbee)는 미
래의 역사가들이 20세기를 기억할 때 컴퓨터나 인공위성 같은 과학
기술의 발전이나 공산주의의 흥망 같은 정치사회적 사건이 아니라,
그리스도교와 불교가 의미 있게 만나는 사건일 것이라고 예견했다.
토인비의 역사이해에 가장 큰 영향을 준 것은 그리스도교였는데 말
년에 접어들자 불교와의 만남에 큰 의미를 부여한 것이다. 베트남
출신으로 프랑스와 미국에서 활동하며 달라이 라마와 함께 지구촌
의 영적 스승으로 불리는 틱낫한 스님은 예수와 붓다는 '한 형제'
요, 그리스도교와 불교는 인류 역사에 핀 '아름다운 두 송이 꽃'이
라고 말했다. 그리스도교가 이웃 종교 특히 불교와 대화하며 사이
좋게 지내는 일이 세계 평화를 위해서 매우 중요하다는 사실을 강
조한 발언일 터이다.

정동채의 종교순례기는 마지막 부분의 소제목이 '동서양 종교의
만남에서 종교 평화를 꿈꾸다'이다. 여기서 그는 "불교의 공(空)과
무(無)를 예수 그리스도와 성경의 가르침에서 찾아보는 것은 매우
의미있는 일이다"고 말한다. "그리스도는 어떤 것에도 집착하지 않

고 자신을 비워낸다. 스스로 수난을 받아 죽고 부활한 것은 자신을 비워내고(空), 그 빈자리에 구원의 진리가 들어서도록 한 것이다. 불교에서 말하는 공의 의미는 그냥 텅 빈 것이 아니라 그 자리에 무엇인가 아름다운 것(妙有)이 있다고 설명한다. 이것을 진공묘유(眞空妙有)라고 한다. 이는 그리스도교의 삼위일체 신앙과 일맥상통한다. 자신을 비우지 않으면(空), 죽지 않으면(無) 하느님(眞空妙有)이 될 수 없다는 것이다." 저자는 하느님을 공이며 진공묘유로 인식하고 있는 것이다. 하느님은 공이니까 어디에나 계시며 텅 빈 우주에 진공묘유로 꽉 차 계시다고 생각하는 것이다. 그러므로 누구든 자기를 비워서 무(無)임을 깨달을 때 '공'이신 하느님을 알게 될 것이다.

이와 같은 저자의 인식, 즉 동서양 종교가 만나는 하이라이트는 『도마복음』을 인용하면서 분명하게 드러난다. 이 복음서는 기원 4세기까지 그리스도교에서 읽히다가 27권만 선별해서 신약이라 부르는 그리스도교 경전이 만들어질 때 이단으로 낙인 찍혀 폐기 처분당한 복음서 중 하나로서 1945년 이집트 나그함마디에서 발견되어 세상에 공개되었다.

놀라운 사실은 이 『도마복음』이 '깨침'을 강조하고 있다는 점이다. 잘 알려진 바와 같이 '깨침'을 위한 종교는 불교이지 않는가? 그런데 이 복음서는 내 속에 빛으로 계시는 하느님을 아는 것, 이것을 깨닫는 '깨달음' 또는 '깨침'을 통해 내가 새사람이 되고 죽음을 극복할 수 있다는 점을 계속 강조하고 있다. 내 속에 있는 신성(神性)을 발견하고 그 신성이 바로 나의 '참나', '본마음'임을 깨달으라는 것이다. 그래서 깨달으면 누구든지 자기 안에 하느님이 있다고 가르치고 있다. 이는 네가 곧 본래 부처라는 불교의 핵심사상과 동일하다. 너 안에 있는 하느님을 자각하여 참다운 자유와 해방을 얻으라는 말이다. 저자는 『도마복음』에서 확실히 부처를 찾은 것 같다.

　정동채의『봉정암에서 바티칸까지』는 책의 머리 부분에 '산티아고 데 콤포스텔라' 성지순례기를 실었다. 산티아고 순례자의 길로 널리 알려진 길이다. 약 800㎞에 이르는 도보순례 코스인데 레온에서 산티아고까지 320㎞를 20일간 일정으로 걸었던 기록이다. 저자는 이 순례를 "내 마음에 예수님을 간직하고 내가 예수님 안으로 들어가는 여정"이라고 표현한다. 기도로 하루를 시작하고 또 기도와 묵상으로 하루를 마무리하는 경건함 속에서 순례길이라는 십자가를 지고 가는 저자의 모습을 발견하게 된다.

　제1부는 동양종교 순례 부분이다. 은둔의 불국토 부탄 왕국 순례기, 국내 사찰 순례와 수행 체험 특히 부처님의 진신사리를 모신 5대 적멸보궁(양산의 통도사, 평창의 상원사, 영월의 법흥사, 정선의 정암사, 설악산 봉정암) 참배기, 내가 만난 큰스님(서옹 스님, 대행 스님, 송담 스님, 청화 스님), 달라이 라마와 틱낫한 스님에 대한 단상, 우리 문화와 불교사상에 대한 생각, 동양과 서양의 만남 천도교로 구성되어 있다. 불교가 민족 전통의 종교이면서 동시에 우리 문화 그 자체라는 저자의 평소 인식이 글 속에 잘 녹아 있다.

　제2부는 서양종교 순례이다. 예루살렘과 갈릴리, 요르단의 성지순례기, 바티칸과 동방정교회, 소피아 성당 그리고 수도원 순례기가 나온다. 이어서 유대교와 이슬람교 체험기이다. 마지막 문장이 눈에 들어온다. "권력이 된 종교는 다른 종교와 싸우면서 문화의 융합을 낳았다. 종교 간의 전쟁은 승자도 없고 패자도 있을 수 없으며, 설혹 승리한다 해도 상처뿐인 영광일 것이다. 서로 다르다고 싸

움을 벌이는 것은 모두의 멸망을 재촉하는 것이며 다름을 이해하고 차이를 관용하면 온 세상에는 평화가 깃들 것이다."

저자는 일관되게 동서양 종교가 만나야 종교 평화와 세계 평화를 이룰 수 있다고 주장한다. 그리스도교가 근본적으로 변하기 위해서는 이웃 종교, 특히 불교와 서로 대화부터 시작해야 한다고 말한다.

누구나 느낄 수 있는 종교에 대한 생각을 이렇게 쉽게, 공감이 가는 내용으로 정리한 글을 만나기 쉽지 않을 것이다. 벌써부터 저자의 종교순례기 2편이 기다려지는 이유이다.

– 월간 『아시아문화』, 2014. 05.

광주와 작가 황석영

　소설가 황석영은 시대의 질곡과 아픔에 누구보다 예민한 촉수를 가지고 기념비적인 많은 작품을 남겼다. 한국문단에서 그처럼 글과 말로서 당대 최고의 영역을 구축한 문인이 몇이나 있었을까. 최근에는 TV 예능프로그램에 진출해 세대를 뛰어넘는 탁월한 이야기꾼으로서의 존재감을 드러내고 있다.

　그가 새해 벽두에 힐링 사인회를 들고 광주를 방문했다. 대선이 끝난 후 박탈감과 상실감으로 인해 정신적 외상증후군에 시달리고 있는 절반의 민심을 헤아리고 보듬기 위해서 전국 대도시를 순회 중이란다. 문학인생 50년 기념 신작인 『여울물 소리』를 무료로 증정하고 '위로와 공감'을 주제로 행사장을 가득 메운 시민들과 대화를 나눴다.

　행사를 마치고 광주를 떠나면서 그는 광주시민들을 힐링하러 왔는데 오히려 힐링을 받고 간다며 따뜻한 환대에 고마워했다.

　세상 살기가 힘들어지면서 마음의 치유가 간절한 사람들이 늘어나 힐링은 어느덧 대표적인 문화트랜드로 부상했다.

　그러나 힐링을 두고 문제를 제기하는 사람들도 있다. 상처받고 마음이 아픈 사람들이 왜 생겨났는가에 대한 진단이 자본과 권력의 문제 즉 사회구조적인 근본적 접근보다는 개인의 상처만 부각시킨다는 것이다. 그래서 우리 시대의 힐링문화에는 진정한 힐링은 없고 말과 상품만 존재할 뿐이다고 말한다. 이유 있는 주장이다. 그러나 힐링을 우리가 살고 있는 디지털 사회에서 잠깐 멈춰 서서 자신을 돌아보는 시간으로, 내면의 소리를 듣는 충전의 시간으로 이해한다면 진정성 있는 힐링코드는 필요하다고 생각한다. 위안이 필요한 시기에는 위안을 받는 것도 나쁘지 않을 터.

황석영은 1970년대와 1980년대에 걸쳐 호남과 10여 년의 끈끈한 인연을 맺었다. 해남에서 2년, 광주에서 8년을 살았는데 이 시기에 대표작 『장길산』이 탄생한다.

광주문화운동사를 말할 때 황석영의 존재와 가치를 부정할 수는 없을 것이다. 1977년 광주 YMCA 가면극회, 1979년 전남대 전통문화연구회와 탈춤패 광대 결성에 주도적 역할을 한 그는 80년 오월을 겪은 후 1982년 '넋풀이' 테이프를 제작한다. 이 테이프를 통해서 비로소 타지역 시민들과 학생들은 오월의 진실을 어렴풋이 알 수 있었다. 그 유명한 「임을 위한 행진곡」은 이 테이프에 실린 7곡 중 하나다.

'넋풀이'는 광주항쟁 당시 전남도청에 끝까지 남아 계엄군의 총탄으로 산화한 윤상원과 1년 전 겨울 노동현장에서 숨진 박기순의 영혼결혼식을 노래굿 형식으로 만든 작품이다. 황석영은 운암동 자택에서 창문에 두터운 커튼을 치고 가정용 버튼식 카세트 녹음데크로 녹음작업을 진두지휘했다. 말도 안 되는 열악한 환경이었지만 광대 단원들과 작곡가 김종률이 가세해서 역사적인 자료가 탄생한 것이다.

그리고 1985년에는 전남사회운동협의회와 함께 광주항쟁 기록물인 『죽음을 넘어 시대의 어둠을 넘어』를 발간한다. 이 책자는 나오자마자 대학가에서 비밀리에 유통되고 읽힌 대표 필독서가 되었는데 '넋풀이' 테이프와 더불어 광주의 진실을 세상에 알린 소중한 자료가 되었다.

　광주와 황석영의 인연은 아들, 황호준으로 그 생명력이 이어지고 있다.

　작년 광주세계아리랑축전 때 공연된 총체극 「빛고을 아리랑」의 음악감독이 황호준이었다. 80년 당시 초등학생이었던 그는 어느덧 가장 촉망받는 젊은 국악작곡가로 성장해 깊은 울림의 노래로 관객들을 매료시켰다.

　그는 어린 시절 겪은 오월에 대한 기억을 바탕으로 국악관현악곡 「오월 광주 이땅에 살으리라」를 작곡해 2010년부터 3년간 광주시립국악관현악단 연주로 광주문예회관 대극장에서 공연하기도 했다. 그런데 기막힌 일은 이 대극장이 넋풀이를 제작했던 황석영의 운암동 자택을 헐고 지은 건물이라는 사실이다.

　광주와 황석영의 인연은 오월을 관통하면서 아들 대까지 끈질기게 살아 있다.

- 〈무등일보〉, 2013. 1. 18.

한류 개척자의 고향방문 공연

한국의 K팝 열풍은 거침없는 질주를 이어가고 있다. 아시아를 넘어 파리나 런던의 젊은이들 마음까지 순식간에 점령했다. 얼마 전에는 모스크바 거리 한복판에서 K팝을 응원하는 플래시몹 행사가 열리기도 했다. 한국의 문화관광부 장관의 방문소식을 들은 러시아 청년들이 K팝 가수의 방문을 열렬히 희망한다는 메시지를 전달하기 위해서였다.

우리는 이러한 K팝의 글로벌 성공 스토리를 들으면서 문화적 자긍심을 느낀다. 그러나 한편에서는 K팝은 한국의 대중음악, 그 가운데서도 아이돌그룹의 댄스음악일 뿐이며 이는 우리의 문화소비 내수가 작기 때문에 적극적으로 해외진출을 모색한 대형 기획사의 글로벌 트랜드 전략이 결실을 맺은 것이라고 말한다. 따라서 한류가 롱런하려면 독창성과 창의성을 갖춘 한국 특유의 요소가 있어야 하는데 그것이 안 보인다는 지적도 있다.

지한파로 통하는 프랑스의 저명한 문명비평가인 기 소르망(Guy Sorman) 파리 정치대학 교수도 최근 한류세미나에서 쓴소리를 했다. 지금의 한류는 한국 특유의 문화로 보이지 않고 글로벌한 문화

현상으로 전 세계에 통하는 보편성 때문에 받아들여지고 있는데 언제 이 현상이 바뀔지 모른다는 것이다. 그는 한류가 지속가능하려면 한국적 독특함을 내세워야 하며 그 선두에 예술가들이 서야 한다고 해법을 제시한다.

오늘의 한류가 한국 특유의 문화를 동반 하지 않고 대중문화의 국제화 전략에 의존한 반면, 19세기 중반 이후 유럽에서 열병처럼 유행했던 자포니즘(Japonism)은 가장 일본적인 문화로 유럽 화가들에게 충격을 주었다. 이 일본풍 사조의 선두에는 대중미술 우키요에(浮世繪)가 있었다. 그들은 대담한 구도와 색채 대비의 채색 목판화로 프랑스 인상파 화가들의 마음을 사로잡았다. 마네, 모네, 드가, 고갱, 반 고흐 등 불멸의 인상파 화가들 중 우키요에의 세례를 받지 않은 자가 없을 정도이다. 그들은 30년 이상 지속적으로 유럽인들을 일본문화에 심취하게 만들었으며 일본취미를 예술 안에서 살려내고자 하는 새로운 미술운동을 이끌었다.

한류의 선봉에 K팝이 우뚝 서 있지만 사실 일찍이 한류의 붐을 염원하며 한류를 개척한 많은 예술가들이 있었다. 비디오아트의 선구자 백남준이나 뉴욕 구겐하임 미술관의 초청을 받고 전관전시를 한 이우환 등은 한국예술가의 자존심에 다름 아니다.

여기에 또 한 명의 개척자가 있다. 바로 광주 출신 무용가 김영순이다. 그녀는 광주에서 태어나 광주여고와 이대에서 무용을 전공했고 1977년 미국 마사 그레이엄 스쿨의 장학생으로 선발되어 뉴욕에서 무용 인생을 새롭게 시작했다. 1980년 미국 10대 현대무용단 중 하나인 제니퍼 뮬러의 정식단원으로 발탁되면서 프로페셔널 댄서의 길을 걷게 된다. 당시 언론에서는 그녀를 "검정머리 휘날리며 춤추는 동양의 신비스러운 마녀"라고 평을 했다. 그리고 1988년 그녀는 자신의 무용단 '화이트 웨이브 김영순 댄스 컴퍼니'를 창단한다. 한국인으로서 그 뿌리를 잊지 않기 위해 백의민족을 상징하는 하얀 파도가 세계로 용솟음친다는 의미를 담은 명칭이다. 미국을 주무대로 활동하면서 아시아를 오가며 활발하게 작품을 발표했다. 특히 1996년에는 뉴욕생활 20주년을 기념하고자 뉴욕을 비롯하여 아시아 순회공연을 했는데 광주 5·18민중항쟁의 영혼들을 위로하는 작품「망월동」이 CNN의 〈인사이드 아시아〉 프로그램을 통해 전 세계로 방영되기도 했다. 현재 그녀는 브루클린 덤보에 화이트 웨이브 극장을 열고 '덤보 댄스 페스티벌' 등 연중 3개의 댄스 페스티벌을 개최함으로서 뉴욕 무용계를 끌고 가는 파워풀한 인물로 부상하였다. 그녀는 이 축제를 통해 뉴욕 무용계에 신인들을 발굴하고 지원하는데 한국의 현대무용이 뉴욕에 소개될 수 있는 핵심 통로가 되기도 한다.

좌절하지 않고 끊임없는 도전과 실험정신으로 아메리칸 드림을 일궈낸 김영순의 창조적 상상력과 예술성이 넘쳐나는 작품이 마침내 광주에 온다. 6월 23일부터 열리는 '페스티벌 오 광주 브랜드공연 축제'의 개막작으로 초청받은 것이다. 30년 전부터 뉴욕에서 한류를 개척해 온 그녀의 고향방문 공연에 벌써부터 가슴 설레는 것은 필자만이 아닐 것이다.

- 〈무등일보〉, 2012. 5. 7.

광대 김명곤과 광주아리랑

　조선시대 선비의 목표는 사대부가 되는 것이었다. 그런데 목표를 이루고 순탄한 관료생활을 보내면서도 늘 낙향을 꿈꾼다. 퇴계 이황이 대표적 인물이다. 왜냐면 그들은 낙향을 재충전의 기회로 삼고자 했기 때문이다. 그동안 소홀히 했던 인격과 학문을 닦는 일, 즉 치열한 수기(修己)를 통해 자신을 다시 일으켜 세우고자 했던 것이다.

　조선 선비 이야기로 서두를 꺼낸 이유가 있다. 최근 예술의 전당 이사장으로 임명된 유인촌 전 문화관광부 장관을 보면서다. 그는 장관직을 떠난 후 청와대 문화특보로 자리를 옮겼다. 그것도 잠시, 이번에는 자신이 장관으로 재직할 때 지휘 감독을 했던 산하기관의 장으로 취임한 것이다. 예술가 출신 장관이라는 명예와 자존감을 내동댕이친 부끄러운 행위가 아닐 수 없다. 적어도 지식인은 자신의 위상과 역할에 대해 끊임없이 고민하는 사람이 되어야 한다는 것을 조선의 선비는 보여주고 있지 않은가.

　그런데 유인촌과 달리 조선의 선비처럼 장관이란 관직을 훌훌 털고 본업으로 되돌아간 예술인들도 있다. 이어령과 이창동 그리고 김명곤이 그들이다. 이어령은 영감을 일깨우는 강연과 저술활동으로 한국 지성의 대표적 아이콘이 되어 존경받고 있고 이창동은 퇴임하자마자 주업인 영화판으로 복귀해 만든 영화 〈시(詩)〉로 세계적인 찬사와 주목을 끌었다.

김명곤은 장관이라는 껍데기를 벗어버리고 이제 천직인 광대로 탈바꿈 중이다. 그는 자신의 의식 속에 알게 모르게 자리 잡은 국립극장장이나 문화관광부 장관의 권위의식을 버리고 젊은 시절의 예술가 의식을 되찾는 일이 과제라고 말한다. 이 같은 발언에서 조선 선비의 면모를 엿볼 수도 있으나 그의 삶의 내력을 살피면 그는 운명적으로 광대였다. 오늘도 그는 뼛속까지 광대가 되기 위해 부단히 노력 중이다. 배우, 연출가, 대본작가, 기획자, 제작자가 늘 따라다니는 꼬리표다. 1월에는 예술의 전당 오페라하우스에서 발레와 한국무용의 아름다운 만남인 「4색 여정」을 연출했고 4월에는 이순재, 전무송 주연의 연극 「아버지」의 연출 겸 제작자로 관객과 만난다. 또 조만간 영화에도 얼굴을 내밀 예정이다.

본래 광대는 가무악일체(歌舞樂 一體)였다. 소리와 춤과 악기 세 분야를 아우르는 것인데 비록 한 분야에 매진하더라도 다른 두 분야가 거의 완벽하게 몸속에 차 있어야 제대로 된 예술이 나온다는 말이다. 김명곤은 이러한 광대가 되기 위해 판소리를 배우면서 인생관이 바뀌었다. 광대들의 춤에서 삶의 애환과 감동을 보았고 그들이 연주하는 모습에서 예술창조의 편린을 보았다. 그 후 그는 인간에 대한 사랑을 온몸으로 감싸 안고 표현하는 예술가를 광대로 이해한다. 그래서 그들의 일원이 되고자 스스로 광대의 삶을 걸어가기로 작정한 것이다.

김명곤은 얼마 전 그의 광대적 기질과 딱 들어맞는 일을 맡았다.

광주시와 문화관광부가 공동주최하는 '세계아리랑축전'의 총감독
으로 위촉받은 것이다.

우리 민족의 고난의 역사 속에 핀 꽃과 같은 노래, 아리랑. 축전
의 주제공연이 될 광주아리랑은 더 나아가서 고난과 슬픔, 저항을
넘어서는 빛의 아리랑을 모색하고자 한다. 해원과 상생 그리고 새
로운 미래를 여는 희망의 축전으로서 민족의 아리랑을 넘어 세계
속의 아리랑으로 확장하는 전기가 될 것이다.

어찌 보면 광대의 삶 자체가 아리랑이 아니겠는가. 광대의 길을
가고 있는 김명곤이 '세계아리랑축전'의 총감독을 맡은 것은 결코
우연이 아닌 것 같다. 연극과 영화를 오가며 배우로 활동하던 시절,
창단한 극단 이름도 '아리랑'이고 창단작품도 「아리랑」이었으니 말
이다. 이 '아리랑'은 지금도 연극의 바다를 항해중이다. 김명곤의
이름을 세상에 널리 알린 영화 '서편제'에서 주인공 유봉 역의 김명
곤과 송화 역의 오정해 등 광대가족이 구불구불 이어진 돌담길을
따라 「진도아리랑」을 부르면서 춤을 추며 걸어가는 장면이 어른거
린다. 운명이란 이름의 인연은 김명곤을 광주아리랑의 광대로 우뚝
세웠다.

- 〈무등일보〉, 2012. 3. 5.

역사의 들불, 박효선과 윤이상

상무지구 5·18자유공원 한편엔 반달 모양의 조형물이 서 있다. 그 벽면에는 북두칠성 모양을 이루며 일곱 명의 얼굴을 새긴 동판이 박혀 있다. 사람들은 그들을 '들불 7열사'로 부른다. 들불은 1978년 설립된 광주지역 최초의 노동야학인 들불야학을 일컫는다. 그들은 80년 5·18항쟁 당시 「투사회보」를 만들어 배포하고 마지막 순간까지 도청을 사수했던 열혈청년이었다. 그런데 그후 20년 동안 운명처럼 한 명씩 우리 곁을 떠나더니 그 수가 일곱 명에 이른 것이다.

삶이 팍팍하고 허기질 때 사람들은 이곳에 와서 삶의 방향과 좌표를 되찾고 확인하곤 한다. 2006년부터는 그들의 정신을 계승하기 위해 열사들의 이름으로 7개 분야에 걸쳐 매년 들불상을 제정하고 한 사람씩 수상자를 선정하고 있다. 올해가 마지막 해로서 5월 중에 문화운동 분야에서 수상자가 결정될 것이다. 그러니까 2012년 들불상은 박효선상이 된다.

박효선은 누구인가. 2004년에 KBS 1TV 〈인물현대사〉에서 집중조명을 하기도 했던 터이지만 그는 오월광대 그 자체였다. 순수한 열정과 헌신을 온통 80년 오월에 쏟아부었다. 5·18항쟁 당시 도청지도부 홍보부장으로 활동했던 그는 도피생활 후 1984년 극단 '토박이'를 창단한다. 5·18전문극단으로서 5·18의 진실을 연극으로 만들어 세상을 향해 내놓기 위해서다. 그중 대표작 「금희의 오월」과 「모란꽃」은 미국과 캐나다 7대 도시를 순회 공연하기도 했다. 그리고 몇 편의 5월 다큐멘터리를 쓰고 출연했으며 생애 마지막 작품도 오월 비디오영화 〈레드 브릭〉이다.

박효선이 지향했던 순결한 뜨거움을 생각할 때 함께 떠오르는 인물이 있다. 한국이 낳은 세계적인 현대음악 작곡가 윤이상 선생이다. 윤이상은 당시 독일에서 5·18 소식을 듣고 통곡을 하면서 두 편의 작품을 작곡했다. 소프라노와 실내 앙상블을 위한 「밤이여 나뉘어라」와 교향시 「광주여 영원히!」이다. 「광주여 영원히!」를 집필하는 동안 분노와 슬픔을 억제하지 못한 그는 당시 한 언론에 기고한 글에서 "광주라는 이름은 모든 민중의 심장에 새겨져 영원히 남을 것이다."고 말했다. 이 작품은 1984년에 캐나다에서 열린 국제현대음악제에서 독일 대표작으로 선출되어 세계의 이목이 집중된 가운데 연주되었다.

윤이상의 마지막 작품은 교향시 「화염 속의 천사」와 「에필로그」였다. 조국의 민주화와 통일을 위해서 분신자살한 학생들의 고귀한 죽음을 잊지 말자는 다짐으로 만든 작품이다. 그는 이 청춘들을 위해서 진혼곡이라도 쓰지 않으면 죽어도 눈을 감지 못한다고 말했는데 1995년 5월 일본 도쿄에서 초연됐고 타계하기 얼마 전 베를린음악제의 일환으로 열린 윤이상 탄생 78주년 기념연주회에서도 연주되었다. 한반도의 모든 질곡의 원인을 민족분단에서 찾은 그는 음악을 통한 평화통일운동에 전력을 다했으며 고향 통영에서는 그를 기리는 통영국제음악제가 매년 열리고 있다.

박효선과 윤이상은 무엇보다 조국과 오월에 대한 뜨거운 애정을 갖고 작품을 통해 자신들을 진솔하게 성찰했다는 점에서 일맥상통할 것이다. 이들은 예술과 삶과 철학을 일치시킨 사람들이다. 이들의 선구자적인 예술적 성취 이후 광주 오월을 주제로 한 많은 작품들이 등장했다. 「일어서는 사람들」, 「봄날」, 「화려한 휴가」, 「언젠가 봄날에」, 「자스민 광주」, 「알을 품은 도시」 등이 떠오른다. 영화나 오페라, 무용 그리고 많은 문학작품들도 있다. 올해도 오월정신을 다룬 작품들이 무대에 올려질 것이다. 광주의 정체성이 담긴 대표 브랜드공연에 대한 기대가 그 어느 때보다 높기 때문이다.

올해 10주년을 맞이하는 통영국제음악제는 세계 곳곳에서 음악인들이 모여 세계적인 현대음악의 거장 윤이상을 기억하고 재능 있는 젊은 연주자들을 배출하는 산실이 되었다. 그런데 오월광대 박효선은 너무 초라하기 이를 데 없다. 그가 떠난 지 14년이 흘렀는데 그 세월의 무게만큼 우리 기억 속에서 멀어졌다. 광주연극인들이 힘을 모아 그를 추모하는 '박효선 연극제'를 열 것을 제안한다. 그를 영원히 꺼지지 않는 역사의 들불로 기억하고 싶기 때문이다.

– 〈광주일보〉, 2012. 2. 6.

광주와 다시 만난 시인 고은

　수행을 많이 하여 공덕이 높은 고승을 큰스님으로 부르듯이 흔히 고은은 큰시인으로 불린다. 작품의 양과 문학적 성취 뿐만 아니라 스펙트럼이 너무 광범위해서 시, 소설, 산문, 여행서, 동화, 번역 등 가리는 분야가 없다. 승려로 출발해서 허무주의 시인으로 방황하다 어느덧 민주화운동과 통일운동의 상징이 되더니 마침내 한국문단을 넘어 한국지성의 대표 아이콘으로 변모하고 거듭난 그의 인생역정과도 무관하지 않을 터이다. 고은의 문학은 그의 삶이고 그의 삶이 곧 그의 문학이다. 문단생활 50년이 지났지만 그는 여전히 현역이고 지금도 계속 화제의 한복판에 있는데 매년 유력한 노벨문학상 후보로 세계 매스컴의 취재대상이 되고 있다.

　이러한 고은 시인을 지난달 두 번 만났다. 그것도 시인이 살고 있는 경기도 안성 자택에서다. 사실 고은 시인과의 인연을 굳이 따지자면 1980년대 초로 거슬러 올라간다. 그러나 먼발치 만남이었고 인연의 끈은 그의 시였다. 1982년 겨울부터 '광주 젊은 벗들 시낭송 모임'을 결성하고 무명 시인들과 함께 어울려 다닌 시절이 있었다. 그해 5월을 통과하면서 겪은 상처들을 보듬고 고민하던 또래의 청춘들은 어느 날 의기투합해 시낭송모임을 만든 것이다. 우리 대신 죽은 자를 위한 진혼곡을 부르고 그들에게 바치는 헌시를 낭송하였다. 당시 우리의 시낭송은 암울했던 시대상황 속에서 신선한 위로가 되었고 희망의 근거가 되었다는 격려를 받았다. 그때 낭송했던 많은 시들 중 백미는 저항시의 절창으로 불린 고은의 「화살」이었다. 시인을 만나고 「화살」에 얽힌 이야기를 꺼냈더니 시인의 얼굴엔 천진난만한 웃음이 번진다.

시인의 자택에서 놀란 건 그의 서재였다. 사면 벽과 방바닥까지 책으로 덮여 있었다. 컴퓨터도 없는 낡은 책상으로 가는 통로를 제외하곤 책의 바다였다. 광대무변한 시인의 창조의 공간이라는 생각이 미치자 전율감을 느꼈다. 이곳에서 그는 작년에 전작시집 『만인보』 30권 출간이라는 대장정을 마감했다. 무려 25년에 걸쳐 만 사람의 내력을 시로 쓴 것이다.

고은은 광주를 지독히 사랑하고 있었다. 알려진 사실이지만 그는 무등산 아래 원효사에서 승려생활을 하면서 광주의 예술인들과 교감을 나눴다. 숱한 기행과 파격으로 늘 화젯거리였다고 알려진다. 시인 김현승과 오지호 화백, 꽃의 화가 천경자 그리고 술친구였던 동갑내기 소설가 송기숙 선생과 많은 에피소드를 만들었다. 자유실천문인협의회를 이끌던 시절 자주 광주를 찾아왔던 시인이 다시 새롭게 광주와 인연을 만든 것은 작년 광주비엔날레 때였다. 비엔날레 타이틀로 『만인보』를 쓸 수 있도록 배려한 것이다. 그리고 헌시 「광주는 빛입니다」를 발표했다.

이제 고은은 또 다른 모습으로 광주와 만난다. 얼마 전 '아시아문화중심도시 조성지원포럼' 위원장을 맡은 것이다. 무언가를 찾기 위해 줄기차게 모험하고 실험해 온 그의 삶의 이력처럼 그는 끝없이 나아가고 있다. 광주는 빛이 머무는 장소이므로 광주의 빛을 원점으로 하여 아시아와 연결하는 대문화를 이룰 것을 주문했다.

최근 시인의 광주에서의 행적 중 한 장면이 떠오른다. 회의를 앞두고 갑자기 서점을 가자는 것이었다. 30분 정도의 여유밖에 없는 상황에서 가까운 시청 지하에 있는 조그마한 서점으로 향할 수밖에 없었다. 그곳에서는 시인이 찾는 책이 없을 것 같아 무슨 책이냐고 물었더니 그냥 책냄새나 맡으려고 그런다는 것이었다. 책의 바다 한가운데 사는 시인이 잠깐 동안의 외출에 벌써 책냄새가 그립다며 마치 승냥이가 먹이감을 찾듯이 본능적으로 책을 뒤지고 있는 그의 뒷모습을 보면서 문득 떠오르는 글귀가 있었다. 불광불급(不狂不及)! 미치지 않으면 미치지 못한다는 말이다. 남이 미치지 못할 경지에 도달하려면 미치지 않고는 안 된다고 했다. 홍수처럼 쏟아지는 정보와 속도경쟁에서 옳고 그름을 판단할 주체를 세우지 못하고 몰려다니기만 하는 우리들에게 고은은 적어도 삶이 그 자체로 문학인 한 예술가의 전형을 보여주고 있다.

- 〈무등일보〉, 2011. 7. 5.

무등산의 거인들

　예술가에게 고향은 창작의 원천과 같다. 고향의 색깔, 냄새와 소리는 어떤 형태든 그들에게 영감의 뿌리로 작용한다. 이름을 알린 저명한 명인들의 뒷이야기에 고향이야기가 단골손님처럼 등장하는 까닭도 이 때문이다.

　최근 광주문화재단 답사 동아리와 함께 통영을 다녀왔다. 통영은 문화예술의 도시를 넘어 한국의 대표적인 인문도시로 알려져 있다. 그런데 그 핵심에는 세계현대음악의 거장 윤이상 선생을 기리는 통영국제음악제가 있으며 2008년 타계한 『토지』의 작가 박경리 선생이 자리 잡고 있다. 특히 윤이상 선생은 광주와도 깊은 인연을 가지고 있다. 80년 5월 독일에서 텔레비전을 통해 광주학살 장면을 보고 끓어오르는 분노와 증오를 억누르지 못해 작곡한 작품이 교향시 「광주여 영원히!」임은 널리 알려진 사실이다.

　윤이상 선생은 자신의 음악은 모두 통영에서 출발했다고 말한다. 고향에서 들었던 소리가 그의 음악의 모티브가 되었다는 것이다.

　거장들의 뜨거운 고향사랑을 이번 통영기행에서 확인할 수 있었다. 통영이 예술의 도시로 성장할 수 있었던 배경에는 '통영문화협회'가 그 중심에 있었다. 일찍이 일본에 건너가 선진문화를 경험한 통영 출신 엘리트들이 광복 후 고향에 내려와 결성한 단체이다. 유치환, 윤이상, 유치진, 김춘수, 전혁림, 김상옥 등 한 시대를 풍미한 예술인들이 주요 멤버였다. 이들은 조국의 고향에서 '문화운동을 통한 민족정신의 앙양'이라는 슬로건을 가슴에 품고 살았다. 문학 강연이나 미술전시회를 열고 전통무용을 발굴했으며 극단을 만들어 창작극을 무대에 올리기도 했다. 이들이 씨앗을 뿌린 이후 수많은 예술인들이 자발적으로 통영을 찾아와 둥지를 틀게 된다. 화가 이중섭이 자신의 생애 중 가장 따뜻했던 시절이라며 그 유명한 황소그림과 은박지 그림을 남겼고 당대 최고의 무희 최승희가 봉래극장에서 공연을 했으며 법정 스님과 시인 고은 선생은 이곳을 출가 장소로 택한다.

짧은 통영기행을 마치고 광주로 돌아오는 버스 안에서 여러 생각들이 교차했다. 우리 고장에도 통영의 예술인들과 견주어 그 예술적 성취나 정신면에서 결코 뒤지지 않은 동시대의 아름다운 예술인들이 있었다. 이들은 어머니와 같은 무등산을 배경으로 활동했다. 연진회를 만들어 낮에는 제자들과 농사를 거두고 밤에는 학업과 화업을 병행했던 남종화의 거봉 의재 허백련 선생, 서양화의 새로운 화풍을 개척하면서 국한문 혼용을 위해 사비를 털어 후진양성에 힘쓴 오지호 화백, 아름다운 시어로 자연을 노래하면서도 결코 비루하지 않은 청교도적인 삶과 문학을 추구했던 다형 김현승 선생이 계셨다. 그 곁에는 세속적 욕망을 내려놓고 탈속의 영적 세계를 일군 오방 최흥종 목사님도 함께하셨다. 하지만 안타깝게도 이들의 삶에 대한 제대로 된 평가는 찾아보기 힘든 것이 우리의 서글픈 현실이다. 우리는 예향을 말하고 문화중심도시를 말하면서도 마땅히 해야 될 가장 기초적인 작업에는 소홀했던 것이 아닌가. 아니 무등산의 이 거인들을 너무 홀대한 것은 아닐까.

광주문화재단에서는 이제부터 무등산을 사상의 거처이자 텃밭으로 일구며 살았던 선각자들의 삶을 조명하고자 한다. 이른바 '무등산 테마 스토리텔링' 사업이다. 이 일은 광주정신의 발원지인 무등산의 정신문화를 계승하는 것이며 광주를 빛낸 명인들의 보물창고를 세우는 것이다. 통영의 역사와 문화를 오롯이 담은 기념관들을 순례하며 얻은 소중한 깨달음이었다.

– 〈광남일보〉, 2011. 4. 22.

'포촘킨 파사드'와
국립아시아문화전당

'포촘킨 파사드'라는 단어가 있다. 낙후된 도시를 풍요롭게 보이기 위해 급조해서 설치한 위장막을 뜻한다. 이 단어의 탄생 배경에는 어처구니없는 기만과 속임수가 깔려 있다.

18세기 중엽 러시아의 절대군주 예카테리나 대제 때 일이다. 대제가 크림반도를 시찰하겠다고 하자, 거친 마을 풍경에 신경이 쓰인 총독 그레고리 포촘킨은 잘 정돈된 시가지 풍경을 그린 대형 가리개를 강변에 줄지어 세운다. 그리고 주민들을 그 앞에 정렬시켜 대제가 배를 타고 지나갈 때 환호하게 해서 대제의 환심을 사는데 성공한다. 포촘킨 총독의 이름과 건물의 정면을 뜻하는 '파사드'가 합쳐진 '포촘킨 파사드' 탄생 내력이다.

사실 우리는 이러한 '포촘킨 파사드'의 경험을 숱하게 가지고 있다. 1970년대에 외국 정상이 방문할 때쯤, 서울의 가로변은 느닷없는 그림과 구호를 칠한 새 가리개와 현수막으로 뒤덮였던 풍경을 기억할 것이다. 또한 국책사업이라는 미명 아래 발표된 초대형 프로젝트들이 시간이 지나면서 자취도 없이 사라진 것도 '포촘킨 파사드'의 그림자들이다.

지금 우리 국민들은 촛불을 들고 한국 사회 곳곳에 드리워진 거대한 위장막 '포촘킨 파사드'를 걷어내고 있는 중이다. 권력상층부의 추악한 속살이 하나둘씩 드러나면서 충격과 분노로 몸서리친다. 그러면서 오늘의 절망을 껴안고 이 기회에 한국 사회가 품격 있게 바로 서길 희망한다. 우리는 촛불집회마저 거대한 축제로 승화시켜 세계를 놀라게 한 국민이 아닌가.

　　국가권력을 민간인에게 넘겨준 박근혜 게이트의 와중에서 국립아시아문화전당(이하 문화전당)의 초라한 모습을 발견한다. 국정농단의 주역인 최순실의 최측근 차은택이 문화판에 개입한 흔적이 발견되면서부터다. 박근혜정부의 최대 치적으로 홍보된 문화융성사업이 차은택의 사냥터였으며 그가 주도한 '문화창조융합벨트 구축사업'에 예산을 몰아주는 과정에서 문화전당은 희생양으로 존재했음이 드러난 것이다.

　　현 정부의 문화전당에 대한 홀대는 개관 전부터 현실화되었던 터였다. 아시아문화중심도시추진단 조직을 축소하고 문화전당 운영인력을 대폭 줄이더니 예산 낭비의 대표적 사례로까지 거론되면서 마침내 최순실, 차은택의 사익 추구를 위한 희생양으로 추락한 것이다. 그러니 전당장이 1년 넘도록 공석인 것은 이들의 검은 손길이 미치지 않았다는 점에서 다행으로 생각될 정도다.

　　박근혜 정부가 왜 전당을 철저하게 외면하고 방치했는가하는 의문의 실마리가 풀린 지금, 이제는 문화전당을 정상화시킬 해법에 지역사회의 역량을 결집해야 할 때다.

　　얼마 전에 전당개관 1주년 기념행사가 열렸다. 하지만 지역사회의 반응은 싸늘했다. 전당에 대한 정부의 인식에 기인한 탓이 크지만 전당 스스로 고립을 자초한 측면도 무시할 수 없다. 전당은 광주 시민의 마음을 얻지 못했다. 지역과 소통하려는 진정성 있는 모습을 볼 수 없었다. 대신에 보여주기 식의 화려한 프로그램 짜기에 급급했다. 마치 전당의 모습에서 '포촘킨 파사드'의 풍경을 보는 듯했다. 아시아 국가 간 문화교류와 협력을 활발히 전개하고 다채로운 창·제작 콘텐츠를 선보인 결과 무려 275만 명이나 다녀갔다는 자화자찬의 깃발만 초겨울의 바람을 타고 펄럭였다.

원점에서 재출발하자는 목소리가 높다. 초심으로 돌아가 전당의 비전과 목표, 운영방안 등을 재점검하자는 말이다. 현재 전당의 작동방식 때문에 비롯된 침묵의 문화를 깨고 지역과 교류하고 상생할 토론의 문화부터 시작해 보자. 표류하고 있는 민주평화교류원 개관문제를 푸는 것이 그 단초가 될 수 있다. 답은 아시아문화중심도시 조성 종합계획의 전당 기본방향 첫머리에 적시되어 있다. "전당은 민주·인권·평화 정신의 산실이다."

문화전당에서 '포촘킨 파사드'가 아닌 본질을 보고 싶은 이유이다.

– 〈전남일보〉, 2016. 12. 7.

문화전당 주변 활성화 사업에
담겨야 할 정신

　한옥의 다실에 발을 딛는 순간, 가야금의 느린 가락이 가슴 속으로 파고든다. 느릿하면서도 우아한 춤을 연상시키는 선율, 침향무(沈香舞)다. 가야금 명인 황병기 선생의 가야금 독주곡. 이곳은 광주시지정 민속자료 1호인 양림동 이장우 가옥 한편을 빌려 밀랍으로 윤회매(輪回梅)를 재현하고 있는 다음 작가의 공간이다. 그는 고즈넉한 전통 가옥에서 사람들과 작설차를 나누고 우리 가락을 들으면서 인문적 대화를 시도한다.

　'2017 올해의 관광도시' 사업을 운영하고 있는 '남구관광청'은 예술가와 예술거점을 묶어 체험프로그램을 만들었다. 한희원 미술관에서는 한희원 작가와 함께 양림동의 이미지를 그림과 글로 남겨보고 나전칠기 명장 최석현의 공방인 '갤러리 늘'에서는 직접 오리고 붙여서 나만의 근사한 나전칠기 수저 세트를 만든다.

　이뿐만이 아니다. 카페 파우제, 515갤러리, 펭귄마을, 광주1930, 이야기배달부 동개비 등에서도 예술가와 함께하는 프로그램을 체험할 수 있다. 이제 양림동은 예술가 또는 문화기획자의 창조적 에너지가 골목에서 번져나가 마을 전체에 활력을 주고 있다. 이와 같이 지역의 역사문화자산을 예술과 결합해 지역재생을 도모하는 경향은 상식이 된 지 오래다.

아시아문화전당의 개관은 지역사회에 많은 화두를 던졌다. 애초에 기대했던 경제적 파급효과나 사회문화적 파급효과를 말하는 사람은 이제 드물다. 다만 우려와 회한의 목소리만 메아리칠 뿐이다.

그럼에도 불구하고 2023년까지 5조3천억 원의 사업비가 투입되는 아시아문화중심도시 조성사업의 성공을 바라는 마음은 간절하다. 그런데 조성사업이 전당 건립에만 집중되어 문화적 도시환경 조성사업은 관심 밖으로 밀려나 있었던 점이 아쉽다. 광주가 진정한 문화도시의 길로 진입하기 위해선 전당과 도시환경 조성사업 특히 7대 문화권과의 유기적 연계는 필수적이다. 광주시는 연차별실시계획 수립에 따른 예산확보와 더불어 중앙정부의 지속적인 추진의지도 견인해야 할 역량을 요구받고 있는 터이다.

이러한 맥락에서 동구의 도시재생 선도사업이 문화적 도시환경 조성사업의 핵심으로 떠오르고 있다. 문화전당의 탄생배경도 낙후된 원도심을 활성화하기 위한 도시재생사업의 일환으로 시작되었다. 선도지역 사업대상지는 전당과 인접한 지역으로 노후건축물과 공폐가 등으로 상권의 쇠퇴와 도시환경의 악화현상이 심각한 상태였다. 따라서 전당 주변의 공간을 예술과 문화산업으로 활성화해 도심문화공간을 재생하고 쾌적한 정주환경을 조성하려는 의도를 담았다.

전당의 존재이유는 전당의 창조적 에너지를 광주 전역으로 확산하고 재창조하는 문화발전소 역할이다. 그러나 아무래도 전당이 정상궤도에 오르기에는 시간이 걸리는 문제여서 문화적 도시환경 조성사업의 주체인 광주시의 역할과 부담감은 더욱 무거워졌다.

그런데 이 사업의 일환으로 진행되는 전당주변 활성화사업이 광주의 정신과 철학을 상징하지 못하고 보여주기에 급급한 방식으로 흘러가 안타까움을 주고 있다. 그러한 가운데 도시의 정체성과 상징성을 서서히 드러내고 있는 광주폴리 프로젝트의 가치는 돋보인다. 또한 도심의 소중한 문화적 자원들인 전일빌딩, 적십자병원, 푸른길, 광여고, 중앙초교 등이 문화재생을 통해 창조적으로 활용되도록 역량을 모아야 한다.

　　광주시가 벤치마킹했다는 에딘버러 프린지 페스티벌의 성공 요인은 역설적이게도 공연자를 초청하지 않는다는 점이다. 우리처럼 예산을 지원해서 참가시키는 하향식이 아니라 공연단은 스스로 공연할 장소를 물색하고, 비용을 마련하고, 홍보해야 하는 자발적 상향식 운영방식을 택하고 있다. 이 점이 프린지 페스티벌의 품격을 올린 것이고 참여단체에 자긍심을 부여했다.

　　전당주변 활성화 사업이 타 도시 성공사례를 겉모습만 흉내 내서는 곤란하다. 문화도시 광주의 미래를 바라보면서 원칙과 철학을 세우고 그 안에 담긴 정신을 전파하는, 보다 가치지향적인 성숙함이 필요하다.

- 〈전남일보〉, 2016. 7. 20.

문화전당과 지역문화계와의 연계
- 전당과 문화도시 광주의 미래

국립아시아문화전당을 다양한 문화 활동이 어우러지는 복합문화
시설로 건립할 계획을 세울 당시 주요 벤치마킹 대상은 프랑스 파리
퐁피두센터와 싱가포르의 에스플러네이드였음은 주지의 사실이다.

퐁피두센터는 옛 시장을 문화공간으로 탈바꿈시킨 도심재생사
업을 통해서 탄생했다. 그런데 현대건축을 하이 테크놀로지 시대로
진입시킨 계기를 만든 이 건축물이 새로운 문화발신지의 증거가 되
게 한 근원지는 다름 아닌 센터 앞 광장이었다. 이 광장에서 파리에
서 활동하는 여러 장르의 아티스트들이 예술적 끼를 마음껏 발산할
수 있도록 했으며 시민들이 참여하는 퍼블릭 프로그램의 복합문화
공간으로도 활용했던 것이다.

에스플러네이드 건립 초기에는 글로벌 아티스트들의 무대가 될
것이라며 지역예술인들의 불만이 컸다. 그러자 싱가포르 정부는 다
문화통합과 지역예술의 부흥이라는 청사진을 제시하여 지역예술인
들을 설득했다. 중국, 말레이시아, 인도 페스티벌을 개최해서 각 커
뮤니티 사람들이 자신들의 문화에 자부심을 갖게함과 아울러 다른
문화를 경험할 수 있는 프로그램을 기획했던 것이다.

이 두 사례에서 배울 점은 지역예술인들을 소통과 설득을 통해 복합문화공간 내로 적극적으로 끌어들였다는 점이다.

발제자는 아시아문화전당과 지역 문화예술계와의 현재 관계에 대해서 협력적 관계보다는 긴장 내지는 갈등 관계로 파악하고 있다. 그러나 현장의 관점에서 보면 대부분의 지역 예술인들은 전당 콘텐츠에 대해서 거의 외면하거나 무관심한 태도를 보이고 있다고 말하는 것이 사실에 가까울 것이다. 왜 이렇게 되었을까? 그 이유 중의 하나는 상호간 신뢰관계가 허물어졌기 때문이라고 진단한다. 그동안 추진단과 아시아문화개발원이 지역예술인들을 초대해서 여러 차례 간담회나 워크숍 등을 진행했지만 결과는 지역의 목소리를 외면했다는 사실이다. 지역과의 소통이란 하나의 절차에 불과했던 것이다.

하나의 예를 들자면, 아시아예술극장에서 9월에 개관 페스티벌을 개최했는데 행사 전 간담회 때 33개 작품 중에 '광주 작품'을 하나 만들겠다는 약속을 했던 터여서 지역예술인들은 기대를 했었다. 그런데 결과는 광주의 공연현장에서 활동하는 예술인들과 스텝들이 참여한 '광주 작품'은 볼 수 없었고 광주 출신 미디어아티스트의 라이프스토리를 극화한 작품이 무대에 올랐을 뿐이다. 이것을 가지고 '광주 작품'이라고 말할 수 있을까? 따라서 전당과 지역문화예술계와의 연계는 우선적으로 신뢰관계의 회복에서 출발해야 한다고 본다. 그 바탕 위에서, 우선적으로 지역예술인들과 협업 프로그램들을 많이 추진해야 한다. 특히 전당의 5개 광장을 비롯한 야외공간에서 지역예술인들의 오픈 스테이지를 적극 지원해야 한다.

전당 콘텐츠는 세계를 향한 글로벌한 프로젝트를 지향해야 하지만 지역(로컬)의 중요성도 동등하게 인식하는 글로컬(Glocal)정책을 간과해서는 안 된다. 글로벌리즘이 가지고 있는 장점을 최대한 이용해서 로컬의 발전 방안을 제시해야 한다. 이러한 맥락에서 지역의 문화산업 발전이나 로컬아티스트 육성책은 필수적이다. 그동안 광주비엔날레가 세계5대 비엔날레로 성장하는 과정에서 지역과는 소통과 조화를 성취하지 못했기 때문에 지역미술인들로부터 외면을 받았던 경험을 잊어서는 안 된다.

지역문화예술계와 연계할 수 있는 몇 가지 방안을 제시하면,

첫째, 광주비엔날레와 상호시너지 효과를 극대화할 수 있도록 전시장소와 콘텐츠에 대한 긴밀한 협의시스템을 구축해야 한다.

둘째는 광주시나 전남도와 공동제작 프로그램을 개발해서 문화관광 자원으로 활용해야 한다.

셋째는 아시아예술극장 상주예술단체에 지역예술단체를 포함시켜야 한다. 현재는 아시아전통오케스트라와 아시아 무용단을 상주단체로 하고 있는데 지역단체로 확대할 필요가 있다.

광주의 도시공간을 문화도시로 재구성하려면 아시아문화중심도시 종합계획에서 제시된 7대문화권을 계획대로 조성해야 할 것이다. 그래서 전당과 가까운 지역에 있는 문화전당권과 아시아문화교류권이라도 속도를 내서 제대로 추진해야 한다는 주장이 나오는 이유이다.

– 〈생통포럼〉, 2015. 12. 2.

문화전당,
지역과 소통이 관건이다

숱한 우여곡절을 거쳐 국립아시아문화전당(이하 문화전당)이 개관했다. 착공으로부터 무려 10년만의 일이다. 16만 ㎡에 달하는 이 거대한 복합문화시설이 세계를 향한 아시아 문화의 창이 될 것인지 국내외의 관심은 지대하다.

사실 9월 개관 전까지는 기대감보다는 냉소적 시선이 지배적이었음을 부인하지 못한다. 콘텐츠에 대한 회의적 시각과 운영인력의 부족으로 부실운영이 될 수밖에 없을 것이라는 진단이 여기저기에서 나왔다. 5년 후면 결국 광주시 예산만 잡아먹는 애물단지가 될 것이라는 주장도 있었다.

그럼에도 불구하고 문화전당은 지역의 미래를 담보하는 아이콘임에 틀림없다. 공연장과 전시장이 합쳐진 단순한 복합문화시설을 뛰어넘는 문화발전소로서 광주를 아시아문화중심도시로 결정지을 강력한 동력이기 때문이다.

문화전당에 대한 열망과 기대감을 초기에 충족할 전략과 방안이 시급한 실정이다. 무엇보다 지역사회와 보다 적극적인 소통전략이 필요하다. 그러한 맥락에서 전당 건축의 기본개념을 세운 우규승 설계자의 의도는 중요한 의미를 갖는다. 그는 신개념의 건축양식을 도입했다. 5·18민주화운동의 역사적 건물들을 기념비화하기 위해 지상은 시민공원으로 조성하고 지하에다 시설물을 집어넣은 것이다.

이렇게 조성된 광장과 시민공원은 모두를 향해 열려진 공간이 되었다. 이 공간을 즐길 거리가 넘쳐나고 문화와 시민이 만나는 소통공간으로 만들어야 한다. 전당 전체에 문화적 활력을 공급하는 감동과 열정의 터전으로 끌어올려야 전당은 생명력을 획득할 수 있기 때문이다.

특히 잔디광장을 비롯해 아시아문화광장, 5·18민주광장은 전당이 추구하는 정신과 가치가 가장 잘 발현될 수 있는 공간이다. 5개원 콘텐츠와 연계한 퍼블릭 프로그램과 다채로운 색깔의 페스티벌로 광장을 문화예술의 저변확대 거점으로 조성해야 한다.

뿐만 아니라 적극적인 방문객 유인책을 세워야 한다. 전당에 무조건 사람이 많이 오게 만들어야 한다. 그러나 전당에 오는 사람은 전당만 보려고 오지는 않는다. 광주도 보려고 한다. 그러면 우리는 그들에게 무엇을 보여 줄 수 있는가?

오늘날 문화적 활력이 넘치는 세계적인 문화도시들은 대부분 문화프로그램을 통한 도시재생으로 성공했다. 문화예술인과 문화기획자들을 유치해서 도시재생에 참여토록 했으며 주민들이 주도하고 행정은 적극적으로 지원하는 형태였다.

전당 주변지역의 활성화가 필요하다. 주변의 빈 건물이나 빈 점포는 문화적 자원이기 때문에 적극 매입하거나 임대해서 예술인들이 활용하도록 해야 한다. 또한 전당과 가까운 광주의 근대문화유산의 보고 양림동과 동명동 골목길, 대인예술시장, 예술의 거리에

보다 정교한 스토리텔링의 옷을 입혀야 한다.

이를 바탕으로 전당을 중심으로 한 도보 투어코스는 필수적이다. 요즘 인기 있는 여행은 예술적 감흥과 오감을 활용한 체험요소를 결합하는 방식이다. '와서 보고 머물고 체험해서 가져갈' 프로그램을 요구하는 것이다.

문화전당 개관은 어쩌면 광주시민에게 큰 도전을 주고 있다. 문화도시 시민다운 문화마인드와 행동양식을 요구하기 때문이다. 그러나 이는 문화적 품격이 있는 도시를 조성하기 위한 필요충분조건임에 틀림없다.

– 〈시민의 소리〉, 2015. 9. 8.

문화전당을 찾는 사람들

벌써 15년도 더 지난 일이다. 5·18 20주년을 기념하기 위해 광주시가 추진한 5월 총체극 제작의 기획을 맡게 된 나는 난생처음으로 경기도 안성에 있는 산골마을 죽산을 찾게 되었다. 그곳에 광주 출신의 연출가 김아라가 살고 있다는 소식을 들었기 때문이다. 처음 만난 자리에서 총체극을 꺼냈는데 그녀는 언젠가는 꼭 무대에 올려보고 싶었던 일이라며 연출 제의를 고마워했다.

'극단 무천'을 창단한 김아라는 흙벽돌집에서 단원들과 함께 살면서 조그마한 야외 노천극장을 짓고 그녀만의 창조의 미학을 빚고 있었다. 마침 그날 저녁에 〈햄릿〉 공연이 있다는 말에 귀가 솔깃했다. 무천캠프 야외극장 프로젝트로 진행하고 있는 셰익스피어 4대 비극 시리즈 공연이라고 한다.

그런데 공연이 시작되기 전부터 비가 내리더니 그칠 줄 모른다. 그럼에도 공연은 강행되었다. 대부분 서울에서 내려왔다는 관객들은 나눠준 비옷을 입고 동요 없이 진지하게 공연을 관람한다. 빗속에서 무대에 올린 셰익스피어의 시적 언어는 김아라표 새로운 해석에 투영되어 혼재된 인간 욕망의 불협화음을 절절하게 표현하고 있다. 그 현장에서 함께 비를 맞으며 공연을 관람한 나는 연극을 사랑하는 마니아들에겐 산속 마을이나 우중이나 하나도 문제될 것 없다는 사실을 명징하게 확인했던 터였다.

공연 마니아는 공연에 생명력을 불어넣어주는 고마운 존재들이다. 이들은 자신의 블로그나 소셜 네트워크에 리뷰나 의견을 표출하기도 하고 구전 마케팅을 자처하기도 한다. 특정 장르만을 고집하는 마니아들도 있고 장르를 가리지 않고 공연예술이라면 사족을 못쓰는 마니아들도 있다.

요즘엔 공연장뿐 아니라 유럽의 오페라나 클래식 음악을 영상으로 관람하는 영화관 때문에 오페라 팬들을 심심찮게 만나게 된다. 오페라에 빠지게 되면서 자연스레 유럽의 음악축제에 관심을 가지게 되었는데 직접 현장을 찾아다니면서 벅찬 감동과 추억을 만드는 클래식 마니아들이 의외로 많다는 사실을 알게 되었다. 이들은 유명 페스티벌이 열리는 잘츠부르크나 바이로이트, 브레겐츠, 베로나, 루체른은 물론이고 이탈리아 현지인들도 가는 길을 모를 정도의 시골 마을에서 열리는 오페라 축제까지 찾아다닌다. 이들 덕분에 많은 사람들이 유럽문화의 진수를 알게 되면서 덩달아 우리의 공연예술까지 이해하고 사랑하게 되었다.

9월에 열릴 국립아시아문화전당 가운데 일반 시민들이나 공연 마니아들의 관심을 끄는 공간은 아시아예술극장일 터이다. 그런데 아시아예술극장의 개관 페스티발 프로그램인 33개 작품을 보면 영상, 설치, 미디어, 연극, 퍼포먼스, 무용 등 서로 다른 장르가 융합된 하이브리드 공연이 많아 대체적으로 어렵다는 평이다. 또 광주비엔날레의 영역과 겹친다는 지적도 나왔다.

그러나 접해 보지 못한 실험적 작품들을 좋아하는 공연 마니아들에겐 더없는 기회가 될 것이다. 이들의 역할을 기대하는 이유이다.

고민은 일반 시민들의 참여에 있다. 지역이 외면하는 경우가 가장 두려운 상황일 것이다. 더군다나 광주의 공연장은 관객이 없기로 소문난 곳 아닌가? 얼마 전 문체부가 발표한 '2015 문화기반시설 총람'을 보더라도 이러한 소문은 사실로 입증되고 있다. 광주의 미술관과 문예회관 이용자수는 전국 평균에도 훨씬 못 미치고 6대 광역시 중에서도 최저 수준이었다.

지역 주민들의 발걸음을 문화전당으로 향하게 할 매력적 요소를 찾아야 한다. 그렇다. 광주는 빛나는 예술가들의 산실이 아니던가? 허백련, 오지호, 김현승, 박용철, 이수복, 정율성, 정추, 이강하, 조소혜 등등. 그들의 예술혼과 생애, 흔적들을 볼 수 있는 아카이브 전시관을 만들어야 한다. 더불어 그들을 기억하는 공간들인 생가나 미술관, 기념관과 그들의 영향을 받아 지금도 활동 중인 작가들의 공간인 금봉 미술관, 우제길 미술관, 무등현대 미술관, 한희원 미술관 등과 연계한 투어코스를 상설화해 관람객들에게 서비스하는 것도 생각해 볼 일이다.

- 〈전남일보〉, 2015. 08. 12.

아시아문화전당에 바라는 두 가지

　세계 최정상의 오케스트라인 베를린 필하모닉은 해마다 두 차례 특별한 이벤트를 열고 있다. 오케스트라 창립기념일인 5월 1일에 유럽의 도시들을 순회하며 연주하는 '유로파 콘서트'와 6월의 마지막 일요일에 개최하는 '발트뷔네 콘서트'가 그것이다.

　지난 6월 29일 저녁 영화관에서 라이브 중계하는 발트뷔네 콘서트를 관람했다. '숲 속의 무대'라는 뜻의 발트뷔네는 베를린 외곽에 있는 매혹적인 야외 원형극장이다. 이곳을 찾은 2만 명이 넘는 관객들은 참으로 여유롭고 평화스런 모습이다. 사책 나온 듯 아름다운 숲 속에서 편안하게 음악을 즐기고 있었다. 음식을 먹고 와인을 마시면서 음악에 취하고, 아예 누워서 흐르는 음악에 몸을 맡기는 사람도 있다.

　음악을 즐기는 사람들은 관객만이 아니다. 지휘자 사이먼 래틀도, 협연자인 피아니스트 랑랑도, 그리고 베를린 필 단원 모두가 그렇게 음악을 즐기고 있었다. 낭만과 감동의 무대는 발트뷔네 콘서트의 전통적 피날레곡인 「베를린의 공기」가 연주되자 관객들이 일제히 지르는 환호성과 박수, 휘파람의 열기로 절정을 이뤘다.

일명 '피크닉 콘서트'라고 부르는 발트뷔네를 보면서 부러움과 함께 국립아시아문화전당(이하 문화전당)의 잔디광장을 떠올렸다. 작년에 '2014 문화의 달' 개막행사를 준비하면서 장소를 물색하러 잔디광장을 처음 보았을 때 그 규모에 압도당한 일이 있었다. 그러면서 직감적으로, 이곳을 관객으로 가득 채울 수 있는 이벤트가 상시적으로 열린다면 그 에너지로 문화전당은 굴러갈 수 있겠다 싶었다. 그 뒤, 광주월드뮤직 페스티벌이 그 공간에서 열린 것을 보았다. 가능성을 최초로 확인한 무대였다. 월드뮤직을 어렵게 생각하는 관객을 위해서 대중적 프로그램을 기획하고 가족들이 함께 참여하는 유인책을 적극적으로 마련한다면 야외 피크닉 콘서트로 손색없는 무대가 될 수 있겠다는 생각이 들었다.

문화전당은 아시아문화중심도시 조성사업이 국책사업으로 추진되기 시작한 2004년부터 지역발전을 위한 하나의 아이콘으로 기대를 모았다. 단순한 복합문화시설을 뛰어넘어 지역의 미래를 담보하는 상징적 공간으로 부각되었다. 그런데 최근 확정된 문화전당의 직제개정안에 대해서 지역사회는 반대하고 있다. 그러나 정부와 지역이 서로 상생의 길을 모색해야 전당의 성공적 안착을 담보할 수 있을 터이다. 문화전당이 놓쳐서는 안 될 대목 두 가지만 언급하고자 한다.

먼저, 문화전당은 즐길 거리가 넘쳐나는 공간이 되어야 한다.

전당이 공모에서 개관까지 10년을 끌면서 전당에 대한 기대감은 처음보다 많이 희석되었다. 냉소적 시선도 존재한다. 5년이 지나면 결국 광주시 예산만 잡아먹는 애물단지가 될 것이라고 진단하는 사람까지 있다. 콘텐츠에 대해서도 대체적으로 회의적 시각이다. 쇼케이스 형태로 몇 번 공개된 아시아예술극장의 컨템포러리 공연이나 여전히 컨셉이 잡히지 않는 창조원 콘텐츠를 예로 들고 있다.

그러나 5개원 콘텐츠가 자리를 잡기까지는 시간이 필요하다. 당장 킬러콘텐츠나 메가 이벤트가 보이지 않는다고 전체 콘텐츠를 폄하하는 것은 바람직하지 않다. 그동안 대부분의 시간은 창·제작 중심의 시스템을 구축하는 데 방점이 있었고 세부 구성안의 세팅은 얼마 전의 일이다.

그럼에도 불구하고 전당에 대한 열망과 기대감을 조기에 끌어올리는 방안을 수립해야 한다. 그것은 전당 건축의 기본개념을 세운 우규승 설계자의 의도에 순응하는 데서 비롯된다. 그는 신개념의 건축양식을 도입했다. 5·18의 역사적 건물들을 기념비화하기 위해 지상은 시민공원으로 조성하고 지하에다 시설물을 집어넣은 것이다. 전체 모양은 전통가옥의 마당과 같은 아시아문화광장을 중심으로 문화시설들이 배치된 형국이 만들어졌다.

이러한 개념으로 조성된 시민공원은 모두를 향해 열려진 공간이 된다. 이 공간을 즐길 거리가 넘쳐나는 곳으로 만들어야 한다. 전당 전체에 문화석 활력을 공급하는 감동과 열정의 터전으로 끌어올려야 전당이 산다.

특히 잔디광장을 비롯해 아시아문화광장, 5·18 민주광장 등 다섯 개의 광장은 전당이 추구하는 정신과 가치가 가장 잘 발현될 수 있는 공간이다. 5개 원 콘텐츠와 연계한 퍼블릭 프로그램과 다채로운 색깔의 페스티벌로 광장을 문화예술의 저변확대 거점으로 만드는 일이 관건이다.

2002년 국립아시아문화전당 프로젝트가 시작될 때 파리의 퐁피두센터는 벤치마킹 대상이었다. 그런데 현대 건축에 하이 테크놀로

지라는 화두를 던진 이 복합문화시설이 새로운 문화 발신의 증거가 되게 한 근원지는 센터 앞 광장이었다고 한다. 모든 장르의 아티스트들, 즉 음악가, 화가, 무용수, 광대, 퍼포머, 마임배우, 마술사 등이 예술적 끼를 발산하고 파리 시민들과 방문객들이 격의 없이 어울리는 만남의 장소가 광장이었다. 이곳이 매너리즘에 빠져 있던 파리의 도시 풍경에 새로움을 공급해 주었다는 해석이다. 문화전당의 야외공간에 누구나 참여해서 즐기고, 배우고, 삶을 재충전할 수 있는 공연이나 이벤트가 상존해야 될 이유이다.

다음은 전당 운영과 아시아문화원과의 관계에 대한 우려다.

전당의 직제는 1전당장 4과로, 정원은 50명이 되었다. 그런데 전당은 공연장이나 전시장뿐만 아니라 기념관, 창·제작센터, 도서관, 연구소, 체험관, 아카데미 등을 포괄하는 최첨단의 문화발전소다. 성격상 고도의 창의성과 전문성, 자율성 등이 요구된다. 따라서 운영체계도 매우 탄력적이고 효율적이어야 한다. 그럼에도 고작 50명의 공무원으로 관리하라는 것은 체계적이고 디테일한 운영관리를 어렵게 만들 가능성이 높다.

공무원의 조직 및 인사 운영 시스템의 핵심은 관료적 의사결정체계와 순환보직체계이다. 문제는 전당 운영의 일부를 위탁받는 아시아문화원이라는 법인과의 관계에서 발생된다. 이 법인은 아시아문화의 연구와 홍보, 전당 콘텐츠의 창·제작 유통을 담당하는 민간전문가 조직이다. 다시 말하면 전당 콘텐츠를 만드는 조직이다. 그런데 문화원은 위탁기관이기 때문에 전당조직의 관리와 통제 아래에 놓일 수밖에 없다.

따라서 우려되는 점은 갑을 관계에 따른 경직성이 전당 전반의 조직문화를 지배하는 상황이다. 관료적으로 사고하고 행동하는 공무원의 간섭과 개입이 커질수록 창의성과 자율성은 위축될 수밖에 없다. 전문가인 창작자에게 안정적인 창작환경을 제공해야 독창적이고 차별적인 콘텐츠가 생산되는데 비전문가인 공무원의 통제 아래 있다면 말이 달라진다. 그리고 시설 운영은 공무원 소관이고 시설 공간을 채울 콘텐츠는 문화원 소관이기 때문에 5개 원 시설 사용에 따른 여러 갈등이 발생될 개연성이 높다.

또한 시설 서비스에 대한 만족도가 현저히 저하되지 않을까 우려된다. 전국의 문화기반시설에 대한 서비스공급 만족도 조사를 보면 정부나 지자체가 직접 운영하는 경우와 법인이 운영하는 경우가 확연히 다르다. 현재 광주시가 사업소 형태로 운영하는 문화예술회관이나 민속박물관이 제공하는 서비스의 질을 생각하면 된다.

싱가포르가 자랑하는 복합문화시설인 에스플러네이드의 CEO 벤슨 푸아(Benson Puah)는 호텔 경영자 출신이다. 복합문화시설은 결국 서비스를 제공하는 공간이니 이 분야에서 최고의 위치에 오른 전문가를 영입한 깃이다. 걸괴는 에스플러네이드를 연 평균 800만 명 이상이 방문하는 아시아의 대표적 복합문화공간으로 우뚝 세웠다.

전당조직과 아시아문화원 사이에는 이른바 '팔길이 원칙'의 관계성이 존중되어야 한다. '지원은 하되 간섭하지 않는다'는 문화행정의 기본정신이다. 아시아문화원의 인력은 대부분 창의성과 전문성으로 무장된 문화인력이다. 따라서 전당과 문화원의 관계는 상호 존중과 이해를 바탕으로 한 긴밀한 협력관계를 유지해야 양 조직이 생명력을 유지할 수 있다.

– 월간 『예향』, 2015. 8.

문화전당과 이웃 동네

지난주 토요일, 양림동으로 나들이했다. 소녀 같은 감성을 지닌 김을현 시인이 91세 어머니 그림전시회를 양림미술관에서 연다는 소식을 전해주었기 때문이다. 생전 그림공부라는 걸 해본 적도 없다는 망백(望百)의 할머니가 어떤 그림을 그렸을까? 그런데 호기심으로 들여다본 할머니의 작은 그림들에서 가슴 뭉클함을 느꼈다. 아이처럼 순정한 영혼을 가진 자만이 볼 수 있는 세상이 펼쳐져 있었다. 그 세상에 사는 인간과 동물, 새, 자연은 평화롭게 공존하고 있다. 그들은 탐욕과 이기심이라는 욕망의 덫에 갇혀 사는 사람들을 향해 유년 시절의 순수를 일깨우고 있는 듯했다.

양림동에 올 때마다 조금씩 달라진 모습을 본다. 그리고 단골손님처럼 매번 들르는 정겨운 곳도 있다. 호랑가시나무 언덕길이다. 마침 이 작은 공간에서는 마켓과 거리공연이 펼쳐지고 있다. 매달 한 번, 토요일에 장이 선다고 한다. 셀러들이 가지고 나온 물건 태반은 정말 작고 앙증맞은 핸드메이드 제품들이다. 언덕 위의 게스트하우스 옆 빈터의 백일홍 나무 아래에는 분홍빛 백합꽃이 향기를 발산하고 있고 호랑가시나무 창작소 앞뜰에는 글라디올러스가 예쁜 자태를 뽐내며 서 있다. 유모차를 끌고 산책 나온 젊은 부부의 여유로움 사이로 클래식 선율이 은은하게 흘러 다니고 있다. 문화가 흐르는 양림동 오후의 풍경이다.

지역의 건강한 문화는 작고 다른, 다양함 속에서 그 가치가 발현된다. 지역은 획일화, 동질화하려는 중앙 중심의 논리와는 다르게 작동하는 공간이기 때문이다. 대구의 근대골목, 부산의 감천문화마을, 통영의 동피랑마을, 군산의 근대문화유산마을, 전주 한옥마을은 저마다 차별성과 이질성으로 '지역의 힘'을 보여준다.

작년에 문화체육관광부가 주최한 '문화의 달' 행사가 광주에서 열리게 되자 '전국청년문화기획자대회'를 처음으로 열었다. 지역문화기획자들의 열정으로 도시와 마을, 시장과 거리, 골목과 일상 공간 등이 바뀌는 사례들을 공유했다. 동시에 광주의 현실에 대한 고민도 깊어만 갔다. 광주의 문화기획자들은 그동안 거대 문화담론에 매달리다 활동터전을 잃어버린 경우가 적지 않다. 작은 영역에서 부터 자생력을 키워야 하는데도 말이다. 작더라도 옹골차게 스스로 만들어 가야한다. 살고 있는 마을과 동네에 답이 있다.

또한 지역의 변화는 작더라도 지속성이 중요하다. '절제의 미덕'을 강조한 영국의 경제학자 에른스트 슈마허(Ernst Schumacher)는 그의 저명한 저서 『작은 것이 아름답다』에서 이를 잘 설파하고 있다.

도시야간문화의 상징이 된 대인예술시장의 야시장도 끈질긴 투자의 결과이다. 양림동은 다양한 근대문화유산과 예술을 융합한 창의적인 공간으로 상존해야 한다. 동명동 골목은 카페거리가 형성되면서 문화인력들이 유입되고 있어서 소극장을 축으로 새로운 문화의 거리를 만들고 있다.

대인야시장, 동명동 골목, 양림동 근대역사문화마을, 예술의 거리는 모두 국립아시아문화전당의 이웃 동네다. 전당에서 생산되는 콘텐츠를 공유하고 향유하는 공간으로서 동반성장해야 한다. 전당을 중심으로 주변공간과의 연계가 중요한 이유이다. 전당을 찾는 방문객은 전당만 보려는 것이 아니라 광주의 속살을 보고 싶어 한다. 그들에게 무엇을 보여줄 것인가? 곳곳에서 빛나는, 작지만 아름다운 광주의 문화를 보여주어야 하지 않는가?

싱가포르의 에스플러네이드는 우리의 문화전당과 같은 복합문화시설이다. 이미 세계 문화현장 탐방의 단골 메뉴가 될 정도로 인기가 높다. 그런데 왜 '산책로'를 뜻하는 에스플러네이드라고 이름을 지었을까 궁금하다. 여유롭게 도시의 거리와 골목, 시장을 거닐다가 거리낌 없이 찾아가는 정겨운 곳, 마치 산책로 같은 곳이라는 의미가 담긴 것은 아닐까?

문화전당은 에스플러네이드와 같은 산책로를 지향해야 한다. 엄숙하고 근엄한 공간이 아니라 누구나 참여하고, 즐기고, 배우며, 삶을 재충전하는 곳, 일상이 문화가 되는 삶의 장소여야 한다.

– 〈전남일보〉, 2015. 7. 1.

전당에 필요한 진정한 '축제'의 정신

지난주 예술의 전당 콘서트홀에서는 한국 클래식 음악 역사에 남을 기념비적인 명품 공연이 나흘이나 계속되었다. 아홉 개의 우주라고 불리는 베토벤 교향곡 전곡 연주였다. 세계적인 지휘자 이반 피셔가 이끄는 로열 콘세르트허바우 오케스트라는 한국은 물론이고 아시아에서도 최초인 전대미문의 프로젝트로 청중을 매혹시켰다.

베토벤을 가장 좋아한다는 지휘자 이반 피셔. 베토벤은 변화의 시대를 주도했던 선구자인 까닭이다. 그 이전까지는 왕이나 귀족에게 하인처럼 종속되어 그들이 주문하는 음악만 만드는 시대였지만 베토벤은 자신의 시대를 뛰어넘어 당당하고 진정한 음악가로 우뚝 섰다. 그러한 정신이 바로 교향곡 전곡에 오롯이 실려 인간의 기쁨과 슬픔이 함께 공존하는 생명의 메시지를 전해준다.

이반 피셔는 시대정신을 외면하지 않은 지휘자로 유명하다. 유럽의 메이저 오케스트라들의 러브콜을 뒤로 한 그의 선택은 독재로 신음하는 고국 헝가리였다. 독재정권의 엄혹한 환경 속에서도 '부다페스트 페스티벌 오케스트라'를 창설해 오늘날 세계적인 오케스트라 반열에 올랐다.

'부다페스트 페스티벌 오케스트라'의 도전정신은 '페스티벌'이라는 단어 속에 함축되어 있다. 음악회는 결국 단 한 번의 축제의 순간이니까 연주에 혼신과 열정을 쏟아 관객과 기쁨을 함께한다는 진정한 축제의 정신이 읽혀진다.

저서 『오리엔탈리즘』으로 명성을 얻은 문학비평가 에드워드 사이드는 "음악은 사회적이다"고 말한다. 음악은 사회를 직접적으로 반영한다는 말이다. 음악 안에서 한 사회의 역사적 기억과 구성원들의 개인적 추억은 하나로 어우러진다. 그러므로 음악을 포괄하는 축제는 당대 사회를 가장 잘 반영하는 삶의 양식이자 기록이 될 것이다.

스코틀랜드 에딘버러는 페스티벌을 도시의 슬로건으로 내세운다. 도시 전체가 완벽하게 페스티벌로 분장하고 있다. 에딘버러 페스티벌은 1947년 제2차 세계대전의 슬픔과 폐허를 딛고 '인간의 영혼이 꽃필 수 있는 플랫폼'을 마련하기 위해 시작되었다는 점을 주목해야 한다. 축제에서 가장 중요한 대목은 '영혼의 이야기'이자 '평화의 노래'임을 말해주고 있기 때문이다.

그중 음악, 연극, 무용, 코미디 등 공연문화 전반을 아우르는 축제로 자리 잡은 에딘버러 프린지 축제는 지구상에서 가장 큰 예술 축제가 되었다. 변두리, 변방을 뜻하는 프린지에서 시작한 공연이 세계적인 축제로 성공한 동력은 무엇일까? 에딘버러 국제 페스티벌에 초대받지 못한 8개 극단의 도전정신이 오늘의 프린지를 태동시킨 힘이다. 누구나 참여할 수 있는 개방성, 항상 새로운 실험적 무대, 창의성은 프린지 축제를 상징하는 코드가 되어 전 세계로 번져 나갔다. 프린지의 도전정신을 이어가는 페스티벌만 전 세계에 50여

개가 넘는다.

얼마 전 국립아시아문화전당의 아시아예술극장에서는 개관 페스티벌 라인업을 확정 공개했다. 모두 33편의 동시대 예술작품이 아시아예술극장의 비전과 방향성을 집약한 축제를 만들 것이라고 한다.

그러나 아시아예술극장 페스티벌의 정착을 위해서는 에딘버러 프린지 축제의 성공 전략을 배울 필요가 있다. 무엇보다 모든 도전과 실험에 무한대로 열려있는 개방정신이다. 따라서 아시아예술극장 공연공간은 더욱 확장되어야 한다. 초청받지 못한, 그러나 인간의 영혼과 평화를 노래하는 무대를 위해서는 기꺼이 전당 내의 야외공간을 제공하고 예술의 거리와 동명동에서는 거리공연을 특화해야 한다.

아울러 기존의 컨템퍼러리 아트와 함께 '로컬 컨템퍼러리'를 공존의 차원으로 접근해서 육성전략을 세워야 한다는 점이다.

에딘버러 페스티벌이 참혹했던 전쟁통에 잊어버린 음악과 예술의 영혼을 일깨우며 대성공을 거둔 것처럼 5·18현장의 한복판에서 펼쳐지는 아시아예술극장 페스티벌이 '평화의 노래'를 퍼뜨리는 진정한 축제가 되길 바라는 마음은 나 혼자만의 생각은 아닐 것이다.

— 〈전남일보〉, 2015. 4. 30.

또 다른 '봄의 제전'을 꿈꾸며

다시 봄이다. 여기저기서 생명의 온기가 느껴진다. 해마다 오는 봄이건만 올해는 보다 각별한 의미로 다가온다.

그 각별함이란 봄과 함께 시작될 '혁신'이란 이름의 문화적 동력에 대한 기대감 때문이다. 사전적 의미로 혁신은 기존의 조직이나 관습, 방법 등을 완전히 바꾸어서 새롭게 함을 뜻한다. 그런데 왜 새삼 혁신인가? 광주 문화의 두 축인 광주비엔날레와 국립아시아문화전당을 이 혁신의 코드로 바꿔야 한다는 열망이 높은 까닭이다.

광주비엔날레는 최근 7대 혁신안을 발표했다. 새로운 대표가 선임되어 전면 쇄신 작업에 시동을 걸었다. 이제 '그들만의 잔치'에서 벗어나 지역과 소통하는 협력시스템의 구축이 기대된다. 혁신안이 흐지부지 퇴색되지 않도록 지역사회의 지속적인 참여와 건강한 긴장관계가 필요한 시점이다.

'아시아문화중심도시 특별법 개정안'이 마침내 국회를 통과 했다. 앞으로 운영 조직과 인력 구성, 개관 콘텐츠, 전당 진입로 개설 문제 등 해결해야 될 과제는 산더미처럼 많다.

그러나 사실 이 보다 더 중요한 것은 문화전당 안에 오롯이 담겨야 할 '정신'이다. 우리의 삶이 매너리즘에 빠져 새로운 가치를 생산하지 못할 때 전당은 '새로운 정신'을 창출해서 삶의 존재 의미를 근본적으로 성찰하는 장소가 되어야 하기 때문이다.

이러한 이유로 문화전당의 가치는 혁신을 지향해야 한다. 아시아 어느 도시에서나 볼 수 있는 복합문화센터 하나 짓기 위해서 5·18의 순정한 영혼이 깃들어 있는 구 도청 자리에 들어선 것이 아니다.

이 웅숭깊은 문화의 집 안에는 아시아와 공유하는 민주·인권·평화의 정신이 차곡차곡 쌓여야 한다. 21세기를 선도하는 창조적 사고를 통해서 융복합 문화예술 콘텐츠 형태로 승화되어야 할 터이다.

2002년 대통령 공약으로 국립아시아문화전당 프로젝트가 시작될 때 벤치마킹 대상은 파리의 퐁피두센터였다. 우리의 경우처럼 문화예술을 통한 도시재생 사업으로 탄생한 이 복합문화공간은 무엇보다 파격적인 디자인으로 주목을 끌었다. 내부에 있어야 할 설비 덕트나 배관, 기둥, 에스컬레이터까지 외부로 노출시켰다. 상상을 뛰어넘는 혁신적인 건축 철학을 수용 못한 파리 시민들은 거세게 반발했다. 그러나 퐁피두 대통령의 혜안과 열정은 오래가지 않아 결실을 보게 된다. 하루 평균 2만 5000여 명의 방문객이 찾는 파리의 대표적 랜드마크로 우뚝 선 것이다.

그런데 퐁피두센터를 새로운 문화 발신지의 증거가 되게 한 근원지는 센터 앞 광장이다. 이곳에서 음악가, 화가, 광대, 마임배우, 마술사들은 마음껏 끼를 발산한다. 또한 파리 시민들과 이방인들이 격의 없이 어울리는 만남의 장소가 되기도 한다.

또 센터 옆에는 스트라빈스키 광장이 있다. 이곳의 분수대 안에는 스트라빈스키가 작곡한 「봄의 제전」을 표현한 독특한 작품들이 전시되어 있다.

그런데 이 광장에 러시아 출신 작곡가의 이름을 붙인 이유는 무엇일까? 1913년 5월 29일 파리 샹젤리제 극장 개관 기념으로 초연된 발레 공연 「봄의 제전」은 파격의 미학을 보여준 충격적 사건이었다. 음악은 불협화음과 기존의 질서를 파괴한 원색적 리듬으로 가득 찼고 발레는 춤이라기보다 차라리 원시적인 몸짓이었다. 그러나 이 음악과 무용, 미술의 융합적 만남은 20세기 현대예술의 시발점으로 기록된다.

스트라빈스키가 새로운 음악을 창조했던 혁신적 사고는 퐁피두센터가 종래의 건축개념을 뒤집고 새로운 삶의 방식을 제시한 정신과 통했기 때문에 그의 정신을 기념하고자 했던 터이다.

국립아시아문화전당은 역사성과 장소성을 간직한 공간이다. 동시에 새로운 문화, 새로운 삶을 창조할 플랫폼이 되어야 한다. 전당이 추구하는 정신과 통하는 전당만의 콘텐츠, 세상에 하나뿐인 그것을 보고 싶다. 그것은 한 세기를 지나 광주에서 발신하는 또 다른 '봄의 제전'이 될 수 있을까?

- 〈전남일보〉, 2015. 3. 11.

아시아문화광장이 빛날 때

　　고대 그리스 원형극장의 형태가 가장 잘 보존된 곳은 에피다우로스(Epidauros)극장이다. 1988년에 세계문화유산으로 지정되기도 했다. 극장 주위는 산과 나무들이 어우러져 빼어난 절경을 이루는데 특히 음향시스템이 뛰어나다. 극장 무대에서 동전을 던지면 맨 위 계단의 객석에서도 들을 수 있을 정도다.

　　그러나 이러한 극장시설보다 더 놀라운 것은 고대 그리스인들의 문화에 대한 열정이었다. 그들은 자신이 좋아하는 연극이나 시낭송을 보기 위해서라면 아무리 먼 거리라도 마다하지 않고 달려와서 며칠씩 공연을 관람했다고 한다.

　　이 고대 원형극장에서는 현재도 시간과 공간을 초월한 밤의 향연들이 계속되고 있다. 그리스 여행을 꿈꾸는 관광객에게 원형극장의 연극 관람은 가장 매력적인 코스로 주목받고 있는 터이다.

　　국립아시아문화전당의 야외공간을 바라보면서 엉뚱하게도 고대 그리스 원형극장을 오버랩하는 이유가 있다. 인간의 상상과 욕망이 만나 즐기는 축제의 공간은 닫힌 내부공간보다는 야외공간이 더욱 적격이라는 사실이다.

일상에서 예술로부터 소외된 사람들까지 축제의 현장으로 끌어들이기 위해서 외국의 많은 복합문화시설들은 야외공간을 적극 활용하고 있는 터이다.

세계에서 가장 큰 복합문화예술센터라는 영국의 사우스뱅크센터와 이어진 야외광장에서는 연간 300개 이상의 축제가 내부 공연장과 전시장 프로그램과 연계하여 열리고 있다. 야외에서 펼쳐지는 축제와 이벤트는 상시적으로 개최되어 사우스뱅크센터 관람객보다 더 많은 방문객이 찾아 공간마케팅의 성공사례로 손꼽는다. 또한 국립아시아문화전당의 모델이기도 한 싱가포르의 에스플라네이드도 중국, 말레이시아 등 다민족 커뮤니티 사람들이 자신들의 문화에 자부심을 느끼고 활력을 불어넣을 목적으로 야외공간에서 각종 축제를 개최하고 있다.

아시아문화전당은 서로 다른 장르와 분야 간 연계와 순환을 통해서 융복합 콘텐츠를 생산하는 구동원리로 작동된다. 그리고 하드웨어적 측면에서는 지하건물과 지상공원이 어우러진 친환경 건축양식이 미덕이다. 건물 옥상 등 지상공간을 시민공원으로 조성하고 지하에는 건물들이 'ㄷ'자 형으로 배치되면서 중앙에 마당이 존재하는 우리 전통가옥구조 형식을 따르고 있다.

이러한 '빛의 숲'이라는 건축 철학을 바탕으로 다섯 개의 야외공간이 탄생되었다. 전당의 대표 광장인 아시아문화광장을 비롯해 잔디밭인 다목적 이벤트마당, 정보원 옥상광장, 어린이문화원 옥상광장 그리고 5·18민주광장이 그것이다.

아시아문화광장이라는 야외공간이 광주시민과 만나는 첫 지점이 10월 18일 열리는 '2014 문화의 달' 개막행사다. 이 행사는 문화체육관광부가 지역문화 활성화 차원에서 매년 지역을 순회하면서 10월에 열고 있는데 광주는 2004년에 이어서 두 번째다.

문화의 달 개막행사 프로그램은 무엇보다 아시아문화광장이 내재하고 있는 본래적 기능에 충실하고자 한다. 광장은 누구에게나 친숙하고 흥미로운 공간이 되어야 한다는 점과 아시아의 문화적 다양성을 맛볼 수 있는 터전이어야 한다는 점이다.

주제영상과 다원적 미디어아트 퍼포먼스는 정면의 메인 스크린과 객석 양쪽의 대형 사이드 월을 통해 입체적 영상효과를 극대화함과 동시에 LED와 레이저, 홀로그램을 이용하고 무용수, 퍼포머를 투입해 인터렉티브한 미디어아트를 완성할 것이다. 또 전통국악 실내악단 연주, 판소리와 춤으로 엮은 가무악은 전당의 성공적 출발을 기원하는 의미를 담았다. 여기에 동아시아문화도시 파트너인 중국 취안저우와 일본 요코하마에서 온 축하예술단 공연도 관객들을 매혹시키기에 충분하다.

내년 9월 개관을 앞둔 국립아시아문화전당 5개 원의 콘텐츠는 전당의 성패를 좌우할 핵심 동력이다. 그러나 이에 못지않게 중요한 공간이 아시아문화광장을 비롯한 야외공간이다. 문화예술의 저변확대를 통해 새로운 관객을 개발하는 통로이면서 전당에 활기를 공급하는 열정의 공간이기 때문이다. 전당의 야외공간 활용방안에 주목해야 하는 이유이다.

– 〈광주일보〉, 2014. 10.

동아시아문화도시에서
'문화의 달'을 만나다

'문화의 달'을 생소하게 느낄 사람이 많을 것이다. 그러나 문화체육관광부는 1972년 문화예술진흥법이 제정되자 매년 10월을 문화의 달로 지정했다. 그리고 지난 10년간은 지역도시를 순회하며 행사를 열었다. 지역문화를 활성화하겠다는 취지였다. 기억하는 사람이 얼마나 있을지 모르겠지만 광주는 2004년 개최지였다. 10년 세월이 흘러 올해 개최지로 광주가 재차 선정되었다.

전국 최초로 두 번째 문화의 달 행사를 치르게 된 이유는 바로 광주가 올해 동아시아문화도시로 선정되었기 때문이었다. 따라서 올해 문화의 달 행사에는 아시아성의 반영과 동아시아문화도시 프로그램과의 연계성이 포함되어야 할 것이다. 물론 기본방향은 시민들이 문화를 통해 일상 속에서 행복을 누릴 수 있도록 다양한 소통과 공감의 행사를 만드는 것이다.

이제 대한민국의 제1호 동아시아문화도시로 선정된 광주는 문화교류의 파트너인 중국의 취안저우시(泉州市), 일본의 요코하마시와 함께 문화적 공동번영과 상호협력방안을 위한 지속적 네트워크를 형성해야 할 과제를 안고 있다. 더군다나 문화융성의 대동맥인 국립아시아문화전당이 올해 완공되고 내년 개관을 앞둔 시점에서 동아시아문화교류의 프로그램들은 매우 중요한 가치를 내포하고 있다.

중국과 일본은 아시아문화중심도시 광주를 낯설게 느끼지만 동아시아문화도시 광주는 문화교류를 위한 협력파트너로 인정하고 있다. 이 차이는 매우 중요한 의미를 갖는다. 동아시아문화도시를 전면에 내세워 아시아문화중심도시 사업을 견인할 전략을 세워야 한다. 3개 문화도시는 내년에 중국에서 1개 문화도시가 선정되면 4개 도시가 된다. 2017년까지 6개의 문화도시가 탄생한다. 이 도시들은 문화를 통해 하나가 되는 '동아시아 문화공동체'를 형성함으로써 상호이해와 신뢰의 바탕 아래 폭넓은 문화와 예술의 교류 및 관광교류를 도모할 새로운 동력을 창출하게 될 것이다.

광주의 역할이 중요하다. 광주는 지난 3월 열린 한·중·일 3국 대표단 회의 때 동아시아문화도시협의회 사무국을 내년 개관하는 문화전당 내에 설치하자고 제안했다. 3개 도시 역학관계상 자발적 주도권을 쥐고 갈 수 있는 도시는 광주가 가장 가능성이 높기 때문이다. 신뢰와 공감을 지속적으로 쌓아가면서 가교역할을 적극적으로 한다면 동아시아문화교류를 이끌 중요한 위치를 선점할 수 있을 것이다.

동아시아문화도시 사업의 본질은 문화교류이며 이는 네트워크로 풀어야 한다. 주체는 정부와 민간부분 양 날개다. 양자가 공조체제로 다양한 인적교류, 문화예술교류, 산업교류를 통해 튼튼한 네트워크망을 형성해야 한다.

민간부분 문화교류를 전담할 조직으로 '동아시아문화도시 네트워크' 조직을 제안한다. 기존의 '동아시아문화도시 추진위원회'를 재조직하면 가능하다. 1985년 시작한 유럽문화수도 프로젝트도 단년도 사업이지만 법적 지위는 재단이나 비영리 법인, 트러스트 등의 조직으로 지속사업을 추진하고 있다. 대표적인 도시가 2004년 유럽문화수도였던 프랑스 릴(Lille)이다. 이들은 지속가능한 문화도시의 발전을 이루겠다는 의지로 '릴 3000' 프로젝트를 지금도 진행 중이다.

광주가 동아시아문화도시 선정을 계기로 10월 '문화의 달' 행사 개최지가 된 것은 그만큼 광주의 문화적 위상이 높아졌음을 반영한다. 이 시점에서 시급한 일 중 하나는 창조적인 문화도시를 이끌 주체로서의 창의적 인력을 확충하는 일이다. '사람'만큼 중요한 자원은 없다.

우리 지역에는 마을 속에서 새로운 문화적 삶의 가능성을 찾아나가는 청년문화기획자들이 있다. '28청춘 네트워크'도 그들 중 하나다. 지역을 돌며 개최하는 '문화의 달' 프로젝트는 이러한 지역문화기획자들과 지역예술인들을 지역문화융성시대의 주역으로 부각하려는 의도가 담긴 것은 아닐까.

– 〈무등일보〉, 2014. 7. 22.

한·중·일 동아시아
문화도시를 말한다

작년 9월 28일 광주에서 한·중·일 3국의 문화장관회의가 열렸다. 회의결과 동아시아의 새로운 문화교류협력시대를 열 광주공동합의문을 채택했다. 이 합의문은 서문에 '남통선언', '제주선언', '나라선언'의 정신을 계승하고 있음을 명문화했다. 그리고 '상하이액션플랜'의 실천을 통해 한·중·일 문화교류와 협력이 상대국민에 대한 이해의 확대에 중요한 기초가 되었다는 점을 인식하고 동시에 3국의 미래지향적인 문화교류 협력을 정착해 나가기로 하였음을 밝히고 있다.

그동안 3국은 문화장관회의를 각 나라의 도시에서 번갈아 개최하였고 2012년 '상하이 액션플랜' 체결 이후 현재까지의 성과를 점검하였음을 알 수 있다. 그리고 광주공동합의문은 그 성과의 결과물인 셈이다.

광주합의문의 주요 핵심사항은 무엇보다 2014년 동아시아문화도시로 대한민국의 광주광역시, 중국의 취안저우시(泉州市), 일본의 요코하마시를 각각 선정했다는 사실이다. 앞으로 동아시아문화도시는 해마다 선정되어 행사를 실시할 것이다. 아울러 3국이 지속적인 문화유산 보호와 협력을 추진하고 문화콘텐츠산업과 문화예술 교류 협력을 강화하며 미래 문화세대를 육성하고 교류 지원하자는 내용이다.

광주합의문이 담고 있는 정신과 내용은 지난 3월 18일 개최한 동아시아문화도시 2014 광주개막행사를 통해 더욱 진전된 형태로 제안되었다. 후속조치로 3개 도시가 참여하는 동아시아문화도시협의회가 구성되고 내년 개관할 국립아시아문화전당에 상설 사무국이 설치될 예정이다.

또한 광주시는 국립아시아문화전당 개관과 3개 문화도시를 연계해 영화, 애니메이션, 게임, 첨단영상, 디자인분야 등의 문화교류와 문화산업을 적극 육성하겠다고 밝혔다. 뿐만 아니라 3국 도시 간 문화콘텐츠 공동제작, 공동판매, 공동마케팅을 확대하고 문화유산 복원 및 도심재생추진 활성화, 도시 간 특화된 산업교류 확대, 문화예술과 관광교류확대 등 협력분야를 제안했다.

바야흐로 아시아의 시대가 열리고 있다. 정치·경제·문화 전 분야에 걸쳐 세계는 아시아를 주목하고 있다. 특히 다채로운 아시아의 문화는 획일적인 서구문명의 대안으로 부상되고 있다. 제각각 독립적이고 독창적인 세계를 가진 아시아문화는 그 정체성을 바탕으로 '아시아다움'을 더욱 재현하고 있다.

한·중·일 3국 사이의 복잡한 정치, 경제적 갈등관계는 현재도 진행형이지만 문화적으로는 하나의 아시아를 향해 한발 한발 나아가고 있음은 분명하다. 열린 문화를 지향하는 '동아시아 문화공동체 (Culture Community)'를 형성함으로써 동아시아의 공존과 번영을 도모할 것이다.

올해 처음으로 시작되는 동아시아문화도시 행사도 이러한 인식을 공유하면서 출발한다. 3개 도시가 '자연과 인간', '인간과 인간'의 공생이라는 동아시아적 가치를 공유하고 '동아시아 의식, 문화교류와 융합, 상대 문화의 존중과 이해'의 정신을 이어받아 다가올 동아시아 문화교류 협력시대를 준비하고 3국의 문화융성 실현에 상호 노력하기로 합의하였던 터이다.

이러한 가치의 공유가 동아시아문화도시 프로젝트의 추진배경이 된다. 향후 3국은 자국의 전통문화와 현대문화 등 다양한 문화를 세계에 알리고 문화도시의 문화적 특징을 살려 문화유산, 문화콘텐츠산업, 문화예술, 관광진흥 등을 추진함으로써 지속적인 문화교류와 문화공존을 해갈 것이다.

특히 동아시아문화도시 프로젝트는 아시아문화중심도시 사업을 진행하고 있는 광주로서는 큰 동력이 아닐 수 없다. 제1호 동아시아문화도시로 선정됨으로써 이를 기점으로 아시아문화중심도시 사업이 본격화될 수 있기 때문이다. 올해는 국립아시아문화전당이 완공되고 시험가동에 들어가게 된다. 또한 호남고속철도가 개통되어 교류와 소통의 시간이 대폭 단축된다. 내년 본격 개관을 앞두고 동아시아 문화도시 프로그램들이 광주와 아시아를 연결하는 기폭제로서의 역할을 하게 될 것으로 기대되는 이유이다.

그러면 광주와 더불어 첫 번째 동아시아문화도시가 된 문화교류의 파트너, 취안저우시와 요코하마시는 어떤 도시인가?

중국 푸젠성(福建省) 남쪽의 항구도시이자 중국에서 지정한 24개 역사문화도시 가운데 하나인 취안저우. 그러나 우리에게 이 도시는 무척 낯선 도시로 다가온다.

그런데 어떻게 중국의 첫 번째 동아시아문화도시로 선정될 수 있었을까. 그 영광을 얻기까지는 쉬운 일은 아니었다. 1차 예선은 19개 도시들과 경쟁을 했으며 2차 본선 때는 10개 도시들과 치열한 경합의 과정을 거쳤다. 그러나 역사와 문화에 관한 열 가지 항목 중 지속적인 문화유산의 보존 노력과 계획에서 다른 도시들을 압도한 점이 결정적이었다고 한다.

830만 명의 인구가 살고 있는 취안저우의 속살을 들여다보면 깜짝 놀라게 된다. 중국 역사에서 약 700년간 외국의 다양한 문화와 교유하면서 크게 번성했던 호시절을 누렸기 때문이다.

당·송·원대인 8세기에서 14세기에 걸쳐 이 도시는 해상실크로드의 출발점이었다. 이곳을 통해 비단과 도자기, 금은공예품, 약재들이 동남아시아, 아랍, 유럽지역으로 퍼져나갔다. 그러니까 취안저우는 당시 중국과 세계를 연결하는 대외통상의 최대항구였고 문화교류의 중심지였던 셈이다.

당시 이 도시를 세계에 널리 알린 두 사람이 있다. 13세기 말 이곳에 들른 이탈리아 상인 마르코 폴로와 14세기에 온 모로코 출신 이슬람 여행가 이븐 바투타가 그들이다. 그때 취안저우의 도시명은 자동나무(刺桐木)를 뜻하는 자이톤(Zayton)으로 표기했다. 마르코 폴로는 『동방견문록』에서 자이톤항을 세계에서 상품이 가장 많이 들어오는 두 개의 항구 중 하나로 기술했고 이븐 바투타도 그의 여행기에서 세계 최대의 항구 가운데 하나로 소개했다. 아라비아 상인을 비롯한 유라시아 각지에서 온 상인들의 집단거주지가 형성된 것도 이 시기다.

이와 같이 해상교역의 중심지로 부상되면서 외국의 문화와 종교가 물밀듯이 들어왔다. 그 결과 취안저우는 '세계종교박물관'이란 별칭을 얻었다. 이슬람교, 불교, 도교, 기독교, 마니교, 라마교(티벳불교), 천주교 등 다양한 종교와 관련된 유물들은 자랑스러운 문화유산이 되어 도처에 산재해 있다.

그들이 자랑하는 문화유산의 뿌리는 민남문화(閩南文化)다. 북쪽 중원에서 넘어왔지만 그쪽에서는 진즉 소멸되어버린 문화를 자신들만이 가꾸고 보존해왔다는 자부심이 대단하다. 그래서 그들은 자신들만의 독특하고 차별화된 민남문화를 방송을 통해 세계로 전파하고 있다. 해외로 이주한 취안저우 출신 화교들은 거주지에서도 고향의 언어인 민남방언을 그대로 사용하면서 자신들만의 문화를 유지할 정도다. 요컨대 민남문화는 누구도 흉내 낼 수 없는 독창적인 가치를 창출해서 보편적 가치를 공유하는 것이다. 독자적이고 차별적인 문화는 얼마든지 세계화될 수 있다는 사례를 보여준다.

원나라 때까지 전성기를 누린 이 도시는 명나라 때 해금(海禁)정책으로 대외무역이 위축되었고 청나라에 이르러서는 네덜란드와 영국에 의해 해상루트가 장악당해 서서히 쇠락의 길로 빠져들었다. 그러나 푸젠성이 광둥성(廣東省)과 함께 덩샤오핑의 개혁개방정책의 실험무대가 되면서 거미줄처럼 촘촘히 연결된 화상(華商)의 사업망을 잘 활용해 살아나기 시작했다. 그 후 빠른 경제발전을 이루더니 이번에 중국의 첫 번째 동아시아문화도시로 선정되면서 이 도시는 활력을 되찾았다.

민남문화의 발상지라는 자부심으로 정체성을 지킴과 동시에 화상 네트워크를 통해 세계와 소통해 온 취안저우. 그들은 이번 동아시아 문화도시 프로젝트의 목표를 '세계로 향한 다문화도시 건설'

로 정했다. 세계와 소통해온 문화교류와 융합의 현장다운 발상이다.

우리에게 한때 '블루 라이트 요코하마'라는 노래로 잘 알려진 요코하마시는 150여 년의 역사를 지닌 비교적 젊은 도시이다. 1859년 개항 전에는 100가구 정도의 조그마한 어촌이었지만 근대 일본이 시작된 에도 막부 말기에 개항하면서 본격적인 발전의 길을 걸었다. 이 시기에 서양문물이 가장 먼저 들어왔다. 프랑스의 작가 쥘 베른이 1873년에 쓴 유명한 소설 『80일간의 세계일주』에도 주요 기항지로 등장하고 있다.

세계 각국의 문화가 혼합된 개방적이고 관용적인 도시 분위기는 창조도시 형성에 긍정적으로 작용했다. 도시정책 입안과정에서 요코하마시 관료들이 창조적 사고와 혁신적 발상으로 일을 했음은 널리 알려진 사실이다. 그들은 시민생활 향상을 최우선 목표로 두고 안티 관료주의, 시민참여확대, 정보공개 등의 정책을 추진했다. '창조도시 요코하마'라는 도시 브랜드는 이러한 노력의 결실이었다. 요코하마시는 2004년부터 문화예술도시 창조사업본부를 설치하고 시민이 주도하는 문화예술 창조도시를 조성하고 있다.

요코하마가 특별히 주목받는 이유가 있다. 도시재생의 성공모델을 만들었기 때문이다. 이 모델을 벤치마킹하기 위해 세계 각국의 도시들이 몰려들고 있다.

1960년대 들어 요코하마는 수도 도쿄의 인구가 급격히 늘어남에 따라 도쿄의 부속도시로 전락하자 요코하마만의 차별화된 정체성을 만들기 위해 창조적인 도시디자인에 착수했다. 그 방향은 예술가나 창작자가 살고 싶은 창조환경을 실현하고 역사적인 건축물이나 창고, 빈 사무실을 문화예술로 재생하는 창조산업의 클러스터를 형성하는 것이었다.

대표적인 건물이 2002년 오픈한 아카렌가(붉은 벽돌) 창고다. 메이지 시대 요코하마항구에 지은 창고였는데 1970년대 항구가 다른 곳으로 이동하면서 기능을 잃고 퇴락했지만 요코하마시가 매입해 리뉴얼한 것이다. 그 결과 오늘날 벽돌건축의 매력을 가장 잘 보여주는 요코하마의 상징물이 되었다. 박물관, 갤러리 등의 문화시설과 레스토랑, 쇼핑몰이 입점해 있다. 한 해 500만 명이 다녀가는 관광코스이며 요코하마 트리엔날레 공간으로도 사용된다.

역사적 건축물에 문화예술을 활용한 도시재생 프로젝트로 뱅크아트1929도 있다. 1929년 요코하마시에 설립된 구 제일은행 건물을 최초의 도시재생 베이스캠프로 삼았기 때문에 붙여진 이름이다. 처음에는 근대은행 건축물을 예술공간으로 이용했지만 지금은 창고 등 버려진 시설을 활용해 다양한 예술프로젝트를 진행하고 있다. 구 후지은행 건물, 구 일본 우편선 창고, 신(新)미나토 구의 항만창고 등에 복합문화공간을 마련해 전시장, 공연장으로 활용하고 있다. 우편선 창고를 개조한 뱅크아트 스튜디오가 본거지다.

요코하마는 이처럼 도시재생을 통해 도시의 명소가 된 아카렌가 창고나 뱅크아트1929뿐만 아니라 미래형 도시재생 프로젝트인 미나토미라이21도 있다. 미나토는 항구, 미라이는 미래를 의미해서 미래의 항구란 뜻이다.

이 지역은 미래의 첨단 도시를 테마로 재생사업을 벌여 개발된 도시이다. 1989년 요코하마항 개항 130주년을 기념해 개최한 요코하마 박람회를 계기로 미술관과 쇼핑몰, 공원 등이 현대적인 모습으로 잇따라 추진되었다. 그 결과 일본 최고층 빌딩인 '요코하마 랜드마크 타워', 1930년대 범선을 전시시설로 리모델링한 '니혼마루 메모리얼 파크', 복합공간인 '퀸즈스퀘어' 등 인텔리전트 빌딩 등이 모여 최첨단 도시의 진면목을 보여주고 있다.

유럽연합이 추진하고 있는 대표적인 문화정책 프로그램인 유럽 문화수도는 문화예술로 도시를 재생하는 패러다임을 제시한다. 유럽연합이 이 프로그램을 추진하는 목적은 문화를 통한 도시재생 경험을 교류하고 공유하자는 것이다. 이를 통해 유럽국가들 사이의 문화적 교류와 협력을 강화함으로써 유럽의 공존과 공영을 꾀하려 한다.

유럽연합이 문화를 통해 도시에 활력을 주는 유럽문화수도 프로그램을 진행했던 것처럼 한·중·일 3국은 동아시아문화도시라는 연대감을 형성하고 그 안에 문화다양성을 담았다. 무엇보다 상대 문화에 대한 존중과 이해가 중요하다. 지난 3월에 열린 개막축하공연 '동아시아 문화의 빛 광주'는 이를 확인하는 자리였다. 공연장에서 보여준 광주시민의 눈빛에서도 그 열망을 느낄 수 있었다.

－ 월간 『아시아문화』, 2014. 5.

진정한 동아시아문화도시로 가는 길

얼마 전 아시아문화중심도시추진단에서 국립아시아문화전당 종합계획안을 발표했다. 그런데 이 계획안에 흥미를 끄는 설문조사 결과가 들어 있었다. 일반국민과 광주시민을 대상으로 아시아문화전당에 대한 인지 정도, 콘텐츠 기대 정도, 선호 등을 조사해 정책 참고자료로 활용하자는 의도였다.

전당 방문 목적은 '아시아의 공연예술을 관람하기 위하여'라는 응답이 가장 많아 역시 전당콘텐츠로는 공연을 가장 선호함을 알 수 있다. 그런데 문제는 전당이 지향하는 비전을 묻는 질문이었다. 일반국민과 광주시민 모두 '한국'에 초점을 두어야 한다고 답했다. 아시아나 세계보다도 더 높게 나온 것이다. 심지어 광주시민은 세계보다도 광주시를 더 중요한 지역범위로 두자는 의견이 많았다.

국립아시아문화전당은 '열린 세계를 향한 아시아 문화의 창'을 지향하면서 출발했다. 이를 위해 아시아 문화교류와 협력 네트워크의 중심을 목표로 두었다. 아시아인의 주체적이고 자율적인 참여를 통해 아시아의 문화와 자원이 세계와 상호 교류되는 문화허브도시가 되고자 하는 것이다.

그런데 문화전당이 지향하는 비전이 '한국'으로 국한되거나 더 군다나 '광주시'로 축소된다면 전당의 존재가치는 의미를 상실한 다. 참여정부 때 야심차게 아시아문화중심도시 조성사업이 착수된 배경에는 21세기는 아시아의 세기가 될 것이라는 전망이었다. 더불 어 지방화와 세계화의 동시적 융합이라는 글로컬(glocal)시대가 거 스를 수 없는 대세라는 사실에 주목한 결과다.

세계의 유수한 문화도시들의 특성을 보면 개방성과 포용성, 다 양성, 글로벌 마인드를 공통적으로 발견할 수 있다. 광주가 진정으 로 문화도시가 되고 아시아 문화교류의 중심거점으로 서기 위해서 는 세계문화도시들의 이러한 특징을 배워야 한다.

문화도시 만들기 프로젝트로 성공한 사례가 유럽문화수도 프로 그램이다. 유럽연합이 이 프로젝트를 매년 시행하는 이유는 문화를 통한 도시재생 경험을 공유하고 교류할 목적이다. 이를 통해 유럽 국가들 사이의 공존과 공영을 꾀하고 있는 것이다.

이 유럽문화수도 프로그램을 벤치마킹하여 한·중·일 3국은 동아 시아문화도시 프로젝트를 출범시켰다. 그동안 3국은 각 나라의 도 시를 돌면서 문화장관회의를 열었고 드디어 작년 9월 광주에 모여 광주공동합의문을 채택했다.

이 합의문의 핵심사항은 무엇보다 2014년 동아시아문화도시로 대한민국의 광주광역시, 중국의 취안저우시(泉州市), 일본의 요코 하마시를 공식 선정했다는 사실이다. 아울러 3국이 지속적인 문화 유산 보호와 협력을 추진하고 문화콘텐츠산업과 문화예술 교류협 력을 강화하며 미래 문화세대를 육성하고 교류지원하자는 내용이 다.

광주합의문이 담고 있는 정신과 내용은 지난 3월 18일 개최한 동아시아문화도시 2014 광주개막행사를 통해 더욱 진전된 형태로 제안되었다. 앞으로 3개 도시가 참여하는 동아시아문화도시협의회가 구성되고 내년 개관할 국립아시아문화전당에 상설 사무국이 설치될 예정이다.

우리의 문화교류 파트너인 취안저우나 요코하마는 모두 개항을 통해 동서양 문물을 일찍이 받아들인 도시들이다. 취안저우는 당·송·원대에 중국과 세계를 연결하는 대외통상의 최대항구이자 문화교류의 중심지였다. 그 결과 송나라 때 거주하는 외국상인의 수가 1만 명에 달했을 정도로 개방적이었다. 또한 일본의 대표적인 창조도시 요코하마는 1859년 개항하면서 일본에서 가장 먼저 서양문물이 들어왔다. 세계 각국의 문화가 혼합된 개방적이고 관용적인 도시 분위기가 창조도시 형성에 긍정적으로 작용했음은 물론이다.

광주는 이 도시들과 동아시아문화도시라는 연대감을 형성하고 문화교류사업을 추진하려 한다. 그 성공열쇠는 무엇보다 상대 문화에 대한 존중과 이해다. 개방성과 포용성이 있는 글로벌 마인드의 도시, 광주의 모습을 보고 싶은 이유이다.

— 〈시민의 소리〉, 2014. 4. 3.

동아시아 문화도시와 유럽 문화수도

아카시아 향기 퍼지는 5월, 양림동 오웬기념각에서 구성진 변사의 목소리가 울려 퍼졌다. 마지막 무성영화로 유명한 〈검사와 여선생〉이 변사극으로 재연돼 아련한 추억과 함께 다가온 것이다.

1914년 오웬 선교사를 기념하기 위해 건립된 이 건물은 원래 공연장이었다. 우리 지역 최초의 서양음악회였던 〈김필례 피아노 독주회〉가 열린 곳이기도 하다. 그러나 세월이 지나 건립 목적과는 다르게 학교 강당이나 체육관으로 사용되다 근대문화유산이 가지고 있는 문화예술적 가치에 주목한 예술인들에 의해 공연장으로서의 본래기능을 복원하려는 시도를 한 것이다.

양림동에는 오웬기념각뿐만 아니라 유진벨 기념관, 우월순 선교사 사택을 비롯한 여러 선교사 사택들, 그리고 이장우 가옥과 최승효 가옥 등 전통한옥이 보석처럼 박혀 전통과 근대가 공존하는 대표적인 광주의 역사문화공간으로 자리매김 됐다.

얼마 전 광주는 '2014년 동아시아 문화도시'로 선정됐다. 문화관광부가 전국 모든 도시를 대상으로 공모심사를 했는데 6개 도시가 신청해 광주가 뽑힌 것이다. 한국과 중국, 일본에서 선발된 문화도시들은 내년에 '동아시아의 의식, 문화교류와 융합, 상대 문화의 이해'의 정신을 실천하기 위해 교류행사를 개최하고 그 도시의 특성을 가장 극명하게 발현하는 창조적인 문화프로그램을 선보일 것이다.

광주가 한국을 대표하는 첫 번째 동아시아 문화도시로 선정된 것은 현재 아시아문화중심도시 조성사업을 국책사업으로 추진 중에 있기 때문에 당연한 결과로 여길 수 있다. 그러나 함께 신청한 부산, 전주 등 다른 도시들도 일찍이 문화도시를 표방해와 나름대로 명분과 타당성을 무기로 기대감을 갖고 추진했을 것이다.

이제 광주는 동아시아 문화도시라는 자부심과 더불어 문화예술을 활용한 도시 활성화 전략을 본격적으로 성공시켜야 되는 과제를 동시에 떠안게 됐다. 이러한 맥락에서 유럽 문화수도 프로그램은 우리에게 많은 교훈을 주고 있다. 동아시아 문화도시 사업의 모델이 바로 유럽 문화수도 프로젝트이기 때문이다.

유럽 문화수도를 결정짓는 중요한 기준 중에는 양림동 오웬기념가과 같은 역사적 유산이나 도시 건축물을 어떻게 활용하는가 하는 문제가 포함돼 있다. 따라서 광주 곳곳에 존재하는 근대문화유산들을 현대적 도심 환경 속에서 공생되고 활용될 수 있는 방안이 적극적으로 제시돼야 할 것이다.

1985년 서구 문명의 요람이라는 그리스 아테네부터 시작된 유럽 문화수도 프로그램은 문화를 통해 도시의 활력을 삼으려는 유럽연합의 대표적인 도시재생 문화정책이다. 애초에는 '유럽 문화도시'라는 명칭으로 출발했는데 여러 차례 수정 보완을 거쳐 1999년부터 '유럽 문화수도'로 명칭을 변경했다.

1년간 문화수도로 지정된 도시는 방문객과 참여자들의 관심을 유도하는 다양한 문화 프로젝트와 이벤트 등을 통해 유럽의 문화수도로서의 지위에 걸맞은 문화도시 역량을 키워간다.

　지난해 런던올림픽 개막식은 영국의 전통과 문화를 하나의 스토리로 엮은 드라마틱한 뮤지컬 한 편을 보는 것 같았다. 그런데 그 바탕에는 유럽문화도시 개최지였던 글래스고우와 리버플을 비롯해 문화자원이 풍부한 에딘버러, 쉐필드와 같은 문화도시가 있었기 때문에 가능했다.

　개최년도 4년 전에 문화수도로 지정되는 유럽과 달리 불과 7개월을 앞두고 선정된 동아시아 문화도시의 갈 길은 멀다. 더군다나 광주는 아시아의 문화와 자원이 상호교류되는 문화의 플랫폼이자 터미널을 지향하고 있다. 그러한 점에서 28년의 역사를 갖고 있는 유럽문화수도 프로그램은 동아시아 문화도시의 지향점과 방향을 세우는 데 여러 시사점을 주고 있다. 특히 개최지 선정 기준에 명시돼 있는 다음과 같은 대목은 늘 되새겨 볼 일이다.

　'어떠한 문화정책에 있어서도 근본 바탕이 되는 것은 예술인들의 창조적인 작품활동을 지원하고 발전시킬 수 있는가' 라는 점이다.

- 〈전남일보〉, 2013. 6. 3.

다문화 자산으로 고대 번영 꿈꾸는 황하문명 발상지

지난해 8월 중국은 2014년 동아시아문화도시로 푸젠성(福建省) 남쪽의 항구도시 취안저우시(泉州市)를 선정했다. 상하이(上海)로 결정될 것이라는 예상을 뒤엎는 반전이었다. 우리에게는 낯선 도시에 불과한 취안저우. 어떤 문화와 매력을 갖고 있기에 쟁쟁한 역사를 지닌 도시들을 제치고 중국의 첫 번째 동아시아 문화도시라는 영예를 거머쥐었을까. 그러나 그 영광을 차지하기까지는 쉬운 일은 아니었다.

1차 예서은 19개 도시들과 경쟁을 했으며 2차 본선 때는 역사문화도시로 널리 알려진 10개의 도시들과 치열한 경합을 치러야 했다. 중국 문화부가 선발한 15명의 심사위원들은 도시의 역사와 문화에 관한 열 가지의 항목들을 선정기준으로 삼았다. 취안저우는 이 항목 중 지속적인 문화유산의 보존 노력과 계획에서 가장 높은 점수를 받았다고 한다.

인구 850만 명(2011년 기준)의 취안저우시는 이미 동아시아문화도시로 선택받은 한국의 광주시와 일본의 요코하마시와 함께 올 한 해 동안 문화교류 협력시대를 열며 3국의 문화융성 실현을 위한 대

취안저우의 개원사 동서탑 전경

장정에 들어갔다.

　알려지기로는 취안저우는 중국 국무원에서 지정한 24개의 역사문화도시 가운데 하나다. 황하문명의 발상지이며 수천년에 달하는 오랜 역사를 품고 있는 중국답게 많은 도시가 역사문화도시라는 이름으로 관광객을 유혹한다. 그러나 취안저우는 다른 도시처럼 화려한 볼거리가 적어서 그런지 상대적으로 덜 알려진 편이다.

취안저우 해외교통사박물관에
전시된 기독교천사상

취안저우로 들어가는 관문
은 샤먼(廈門)공항이다. 샤먼
은 푸젠성 중에서 가장 경제
력이 높은 도시다. 샤먼, 취안저우, 그리고 성도(省都)인 푸저우(福
州)를 푸젠성 3대도시로 일컫는다. 깨끗하고 아름다운 샤먼에서 한
시간을 달려 목적지인 취안저우에 도착했다. 12월 하순임에도 우리

취안저우 관광명소 숭무고성

나라 가을 날씨 정도의 서늘함을 느낄 수 있었다. 해변에서는 11월
에도 수영할 수 있다고 한다.

　취안저우 사람들은 자신들의 기질을 열정적이고 개방적이며 포
용력이 있다고 말한다. 이러한 특성의 형성 배경에는 오랜 역사적
맥락이 존재한다.

　취안저우는 고대 '해상 실크로드'의 기점이며 유네스코 지정 첫
번째 '세계 다원문화 전시 센터'로서 '세계종교박물관'으로 알려져
있다. 송(宋), 원(元)대를 거쳐 명(明)대까지 아프리카, 아랍, 인도,
고려, 일본과 활발한 해상교역이 이루어졌다. 특히 송, 원나라 때는
'동방 제1항구'로 불릴 만큼 세계 100여 개의 국가 및 지역과 무역
거래를 했다. 당시 마르코 폴로는 유명한 『동방견문록』에서 자이툰
(Zaitun : 당시 취안저우의 표기)을 세계 최대의 항구도시로 유럽에
소개했다.

‘고려사(高麗史)’에 따르면 송나라 때 고려로 간 상인 중에 취안저우 출신이 가장 많았다고 한다. 100년 동안 송나라로부터 약 90차례 4,500명의 상인들이 오갔는데 대부분이 취안저우, 양저우(楊州) 등 남방에서 활동하는 사(私)무역업자 들이었다.

또 명나라 때는 취안저우의 많은 장인들이 일본으로 진출해서 현지 사람들과 함께 류큐왕국(琉球王國)의 건설에 공헌했다. 이러한 역사적 사실로 비춰볼 때 취안저우는 일찍이 한·중·일 3국의 교류에서 중요한 역할을 했음을 알 수 있다.

취안저우의 자랑거리 가운데 하나인 취안저우 해외교통사 박물관에서 관장인 딩위링 박사를 만났다. 그는 10세기 이후 아랍과 페르시아 상인들이 대거 이 땅에 정착할 때 온 아랍상인의 후손이다. 그는 취안저우는 고려와 가장 활발한 해상교역을 했기 때문에 이 부분에 대한 연구가 시급함을 강조했다. 고려는 태생적으로 해상경영으로 일어난 나라다. 태조 왕건은 해상호족세력 출신이었다.

그런데 태조의 성장에는 튼튼한 뿌리가 있었다. 그 뿌리가 9세기 해상왕국을 건설한 장보고다. 비록 851년에 그 해상왕국은 무너졌지만 장보고에 의해 구축된 동북아 3국의 해상네트워크는 결코 사라지지 않고 날로 활성화 되어 고려로 계승된 셈이다. 딩 관장은 해상왕 장보고 선단의 주요 교역지가 바로 취안저우라고 말했다.

이 땅에는 지금도 곳곳에 고려의 흔적이 남아 있다. 고려항, 고려촌(고려마을), 고려길(까오리지에)이라는 지명이 존재한다. 또 고려채(까오리차이)라는 보쌈 모양의 야채요리가 유명하다.

– 〈광주일보〉, 2014. 1. 2.

방언·역사 등 독특한 민남문화
'세계화' 자부심 대단

민남문화에 대한 그들의 사랑은 유별나다. 민남문화의 발상지라는 자부심 때문이다. 민남의 '민(閩)'은 푸젠성의 약자로, 민남이란 푸젠성 남쪽을 뜻한다. 그래서 취안저우, 샤먼, 장저우, 타이완 네 곳은 중국어 표준말과 더불어 민남방언을 쓴다. 이곳의 민남문화

즉 방언, 역사, 종교, 문화유산 등이 중원지역은 물론이고 마카오, 홍콩을 거쳐 세계 곳곳에 살아 숨쉬는 글로벌한 문화가 되었다고 말한다. 특히 일종의 사투리에 불과한 민남방언이 방송을 타고 세계로 전파된다는 점에 놀라지 않을 수 없었다.

시내에 있는 취안저우 박물관은 세계민남문화의 종합전시센터와 같은 곳이었다. 이곳에 들러 민남방언이 각종 공연이나 노래자랑 형태로 세계에 방송되고 있음을 알았다. 또한 해년마다 '민남문화 페스티벌'을 개최하여 관광객을 끌어들이고 있다고 한다. 요컨대 민남문화는 누구도 흉내 낼 수 없는 독창적인 가치를 창출해서 보편적 가치를 공유하는 것이다. 독자적이고 차별적인 문화는 얼마든지 세계화될 수 있다는 사례를 보여주는 것 같다. 이번 문화도시 프로젝트 중에는 문화유산보호사업의 중요한 조치로서 민남문화

취안저우 채씨고택

취안저우 전통공연

붉은 벽돌의 외관과 지붕 끝이 제비꼬리처럼 추켜올라간 취안저우의 주택

생태보호구역을 설립하는 내용이 들어있다.

민남문화는 건축물에서도 독특한 양식미를 보이고 있다. 취안저우에서는 붉은 벽돌로 외관을 형성하고 지붕 끝이 제비꼬리처럼 하늘을 향해 추켜올라간 주택들을 흔히 볼 수 있다. 이곳은 과거 중원지역의 진린으로 옛 수도 낙양을 비롯한 허난성(河南省)에서 온 이민자들이 많기 때문에 언젠가는 제비처럼 고향으로 가고 싶다는 열망을 건축양식에 표현한 것이다. 대표적인 건축물로 채씨 고택(蔡氏古民居)이 있다.

취안저우는 무형문화재 565점을 보유하고 있는데 그중에서 남음(南音)과 인형극 등 5개 항목은 유네스코 무형문화재로 등재되었다. 저녁때 남음을 감상하러 호텔 인근 공원안의 남음공연장을 찾았다. 남음을 처음 본 것은 지난해 9월 광주에서 열린 한·중·일 예술제 때였다. 그때 남음의 선율이 매우 애절하면서도 격조가 있다는 것을

동아시아 문화도시 개막식이 열린 영극원

느꼈었다. 공원의 이 공연장은 차를 마시면서 남음을 들을 수 있는 대중적인 공연장이었다. 관객 중에서 비파, 치팔(퉁소와 비슷한 악기), 얼후(해금과 비슷함) 등 반주악기를 다룰 줄 아는 사람은 무대 위로 올라가서 연주할 수 있다고 한다. 폐막시간인 밤 10시가 되어서 자리를 떴는데 그때까지도 남아 있는 사람들이 꽤 되었다.

　동아시아문화도시로 지정된 후 취안저우시는 준비에 박차를 가하고 있는 모습이다. 세계로 향한 다문화도시 건설을 목표로 세웠으며 하나씩 실행하고 있는 중이다.

　우선적으로 문화인프라 구축에 착수했다. 도심에 있는 낡은 공연장, 전시장, 박물관 등은 리노베이션하고 신설 공연장 계획도 착

유네스코 무형문화재인 취안저우 인형극 공연

착 진행중이다. 둘러본 문화시설마다 개보수 공사가 한창이었다.

새로 짓는 공연장 중에는 유네스코에 등재된 인형극을 공연할 수 있는 극장이 속도가 가장 빠르다. 올 10월 폐막식 때 완공할 예정이다. 그리고 남음상설공연장도 건설 중이며 1,400석 규모의 대극장도 건설할 계획이라고 한다.

취안저우 문화도시 프로젝트 성공열쇠는 '동아시아 문화도시 취안저우 건설발전위원회'가 쥐고 있다. 이 위원회 산하에는 9개의 부서에 66명이 근무한다. 행사운영비로 5,000만 위안(87억 원), 문화시설 건설비로 9억 위안(1,566억 원)을 투입할 계획이다. 한마디로 돈을 통 크게 쓰겠다는 것이다.

취안저우 무용단 공연

이러한 비전과 자신감의 배경에는 위원회를 이끌고 있는 주임인 황서오핑 시·당서기가 있다. 그는 취안저우 시장을 역임했던 인물로 당과 시 모두로부터 상당한 존경을 받고 있는 듯했다. 필자가 취안저우시 문화방송신문출판국 천후에핑 부국장에게 "동아시아 문화도시로 취안저우가 선정될 수 있었던 이유는 무엇이냐"고 물었을 때 문화교류의 역사와 문화유산 보존 노력 다음으로 언급한 대목이 황 서기의 열정이었다. 본선에 올랐을 때 당서기로는 유일하게 황 서기가 참석하여 프리젠테이션을 직접 했다고 한다.

오는 2월 13일 열릴 개막식장은 '취안저우 영극원(影劇院)'이다. 15년 된 극장으로 좌석수는 1,150석 규모다. 경극이나 발레, 고전무용 등을 주로 공연했으며 며칠 후에는 유명한 상해발레단이 온다고 자랑했다. 이곳에서 개막식 행사가 끝난 후, 한·중·일 세 나라의 축하공연이 이어진다.

광주공연단은 오는 2월 15일 한 차례의 공연을 더 하기로 했다. 장소는 취안저우시 인근 진장시(晉江市)에 있는 '진장 오페라센터'다. 취안저우시는 4개의 구와 3개의 현급 도시, 그리고 5개 현으로 구성되어 있는데 진장시는 3개의 시 중 하나다. 그러나 취안저우는 사실 공연을 하기에는 무대시스템이나 공연환경이 매우 열악한 편에 속한다. 베이징이나 상하이 등 대도시와는 차이가 크다. 그러나 상호 문화교류의 의미가 소중하기 때문에 이해하면서 극복해야 할 문제라고 생각한다.

- 〈광주일보〉, 2014. 1. 9.

개원사 동서탑·돌다리 뤄양교…
천년유물 품고 새 천년 도약

36년 전 덩샤오핑은 개혁개방이라는 깃발을 들었다. 중국 경제 발전을 향한 대장정의 신호탄이었다. 그 실험무대는 남부지역인 광둥성(廣東省)과 푸젠성(福建省)이었다. 이 지역사람들은 기질적으로 돈을 중시하는 사람들이다. 또 명분보다는 실리를 중요시한다. 역사적으로 볼 때 이들은 명·청대부터 소문난 중국의 10대 상방이었던 광둥상인, 푸젠상인의 후예들로 장사와 사업수완이 뛰어났던 터이다.

중국에서는 상인집단을 상방(商幇)이라 부른다. 같은 지역에 뿌리를 둔 상인조합이다. 취안저우 상인들이 속한 푸젠상인은 현재 중국의 6대 상방에 들어갈 정도로 막강한 네트워크를 자랑한다.

특히 지리적, 역사적으로 가까운 타이완 및 동남아의 화교상인과 밀접한 관련을 맺고 있다. 취안저우 출신 화교는 750만 명을 상회하면서 푸젠성 출신 화교 총수의 60% 가량을 차지하고 있다. 해외로 이주한 화교들은 거주지에서도 고향의 언어인 민남어(민남방언)를 그대로 사용하면서 자신들만의 독특한 문화를 유지해오고 있다.

그런 연유로 취안저우를 동남아 화교들의 고향이라고 말한다. 거

개원사 경내에 있는 동탑은 높이가 48m에 이른다

민남건축물의 특징이 잘 나타난 취안저우 서쪽 구도심 전경. 중국의 쌍석탑 가운데

가장 높은 동서탑(가운데)이 도시의 상징처럼 우뚝 서 있다

취안저우 전통복장

미줄처럼 촘촘하게 연결된 화상(華商)의 사업망을 잘 활용한 결과 취안저우시는 '국민경제특구'로 불릴 정도로 경제발전속도가 빠른 지역이 되었다. 민영기업은 매년 30% 이상 증가해 13만 개를 넘었 다. 2012년 말에는 중국의 세 번째 금융개혁 시범구로 지정되었다.

취안저우는 송나라 이후 중국 최대의 무역항으로 급부상했다. 아라비아 상인을 비롯한 유라시아 각지에서 온 상인들의 집단거주지가 형성된 것도 이 시기다. 취안저우항을 통해서 도자기와 직물, 약재, 문방구들이 해상 실크로드를 거쳐 서쪽으로 수출됐고 대신 아라비아나 페르시아 상인들을 통해 인도산 향료를 수입했다.

취안저우는 일찍이 세계와 소통해온 문화교류와 융합의 현장이었던 것이다. 이들의 개척정신과 모험정신은 스스로를 진취적이며 상술이 뛰어나고 생활력이 강한 상인으로 단련시켰다.

푸젠성은 상인정신을 바탕으로 이 도시가 자랑하는 산업은 의류와 신발 등 복장산업이다. 이들이 생산하는 의류브랜드는 중국올림픽위원회 공식파트너로서 중국패션산업을 선도하고 있다. 또 취안저우에서 가장 부유한 진장시(晉江市)는 중국운동화 생산의 메카로서 세계적인 유명메이커의 OEM공장이 이곳에 몰려 있다. 취안저우 시내 곳곳에는 이 도시가 과거 국제도시였음을 증명하는 유적들이 많이 남아 있다.

이슬람교, 불교, 도교, 기독교, 마니교, 라마교 등 다양한 종교와 관련된 유물들도 도처에 존재한다. 이 땅에는 7세기 경 이슬람교가 중국에서 가장 먼저 들어왔는데 북송시대에 이슬람 양식으로 건축한 칭징사(淸淨寺)는 가장 오래된 이슬람교 사원이다. 문루부터 당대 유행하던 중세 아랍풍의 사원 양식으로 지었다. 당시 아랍상인들이 몰려들었다는 증거다. 또 중국으로 파견된 4명의 이슬람 성인을 모신 무덤인 영산(靈山)이 유명하다.

취안저우를 품고 있는 강은 진강(晉江)과 뤄양강(洛陽江)이다. 취안저우 사람들이 어머니강이라고 부르는 진강가에는 당나라 때

세워진 천년고찰 개원사가 있으며 그 경내에 동서탑(東西塔)이 웅장한 자태로 서 있다. 이 동서탑은 남송시대 때 세운 5층 석탑이다. 중국 고대 석조 건축물 중 보물에 해당한다. 높이가 48m가 넘는 동탑은 '중국석탑우표' 4장 중 하나가 되었다. 이 탑들은 과거에 등대 역할도 했다고 한다. 위엄스럽게 서 있는 동서탑을 보면서 취안저우의 진취적 기상을 상징하는 랜드마크 같다는 느낌이 들었다.

뤄양강(洛陽江)은 옛 수도 낙양에서 피난온 사람들이 많았기 때문에 붙여진 이름이다. 뤄양강에는 유서 깊은 천년 돌다리 뤄양교가 있다. 바다와 연결되는 석교 중 중국에서 가장 오래 되었다고 한다. 배 모양으로 초석을 쌓고 그 위에 장방형 돌을 겹겹이 올려 800m가 넘는 다리를 축조했는데 그 엄청난 규모에 압도당할 수밖에 없었다.

중국을 대표하는 상인정신으로 무장한 취안저우는 다시 한 번 화려했던 옛 영화를 재현하고자 한다. 첫 번째 동아시아 문화도시로 선정된 것은 좋은 호재가 아닐 수 없다.

이들은 당나라 시대부터 바다를 통해 세계를 상대로 대외무역을 주도한 사람들이다. 오늘날에는 민남문화의 발상지라는 자부심으로 정체성을 지켜오면서 화상(華商)네트워크를 통해 세계와 소통해 왔다. 이번 문화도시 프로젝트의 목표를 '세계로 향한 다문화도시 건설'로 정한 까닭이다. 고대 '해상 실크로드'를 개척한 취안저우 인들의 머리와 가슴속에는 무역의 중심지를 넘어 문화의 중심지를 향한 욕망이 꿈틀거리고 있다.

– 〈광주일보〉, 2014. 1. 16.

춤으로 소통한
2014 한·중·일 예술제를 가다

　일본 제2의 도시 요코하마는 지금 현대미술의 열기로 뜨겁다. 한·중·일 예술제에 참가하기 위해 하네다공항에 도착한 광주대표단은 요코하마 트리엔날레의 전시장인 요코하마 미술관을 방문하는 것으로 일정을 시작했다.

　2001년 처음 시작해 3년마다 열리는 요코하마 트리엔날레는 올해 5회째가 된다. 1995년 창설한 광주비엔날레가 20년 동안 서구 중심의 미술계에 아시아미술의 차별성을 부각시키면서 아시아미술의 대표 아이콘으로 위상을 굳혔음을 상기할 때 후발주자인 요코하마 트리엔날레도 그 영향을 받으면서 성장해왔음을 부인하기는 어려울 터이다.

　'화씨 451도의 예술 – 세계의 중심에는 망각의 바다가 존재한다.' 올해 행사의 주제다. 책을 불태우는, 독서와 장서가 금지된 미래사회를 배경으로 한 레이 브레드버리(Ray Bradbury)의 1953년 발간된 동명소설에서 따온 제목이다. 세상이 잊어버린 소중한 일들을 볼 수 있게 망각을 기억으로 이끄는 예술과 예술가의 존재를 되새겨보는 기획이라고 한다. 중심에 있는 존재보다는 숨겨져 있는,

망각되어 있는 존재를 발굴해서 드러내고자 하는 의도다. 우리에게
는 세월호 참사라는 결코 망각되어서는 안 될 사건이 있다면 일본
은 3년 전 발생한 '동일본 지진'이 있다. 이 불의의 재난을 잊지 않
고자 하는 일본인의 자의식이 느껴졌다.

　이 망각이라는 주제의식을 담고 있는 상징적 작품이 있다. 한국
의 김홍석 작가의 조각 「곰 같은 구조물-629」다. 브론즈 작품인데
만지면 바스락거릴 듯한 비닐봉투의 느낌을 되살렸다. 이 작품은
미술관 인근의 지하철역 통로에 마치 쓰레기봉투처럼 놓여 있다.

피리와 살풀이 산조의 만남

쓰레기봉투는 쌓였다 사라진다는 점에서 절묘하게 망각의 이미지를 연상시키고 있다. 이 곰 이미지가 요코하마 트리엔날레 각종 홍보자료 표지에 등장하고 도심의 가로등 배너로 펄럭이고 있었다.

지난 9월 4일 저녁 2014 한·중·일 예술제가 개최된 요코하마 가나가와 예술극장(KAAT). 한·중·일 문화장관 회의의 합의사항에 따라 3국이 공동사업으로 실시하고 있는 행사다. 작년에는 광주에서 열렸었다. 올해의 주최도시인 2014동아시아문화도시 요코하마는 서로의 미의식의 공통점을 재발견하고 상호이해를 깊게 할 요량으

일본공연단 연주

로 주제도 '한·중·일 문화예술의 공통점과 차이점을 알고 이해하기'로 정했다.

국제적인 창조도시를 표방해 온 요코하마는 2011년부터 문화예술도시로 주목받기 시작한다. 요코하마를 대표할 새로운 극장인 가나가와 예술극장이 그해 1월 개관한 것이 계기가 되었다. 이 극장은 1,200석의 메인 홀과 220석의 소극장, 3개의 스튜디오를 보유하고 있다. 공익재단법인 가나가와 예술문화재단이 운영한다. 지금까지 뮤지컬, 연극, 무용 등의 공연뿐만 아니라 무대기술이나 예술경영 등 예술창작에 필요한 인재육성을 통해 요코하마 문화예술의 창조 거점이 되었다.

이 극장이 개관 전부터 화제를 모았던 것은 예술감독제를 도입한 점이다. 초대 예술감독으로 선임된 미야모토 아몬은 배우와 안무가로 활동하다 연출로 데뷔했는데 브로드웨이에서 동양인 최초로 연출을 맡는 등 뮤지컬, 연극, 오페라 같은 쇼 비즈니스 세계에서 화려한 이력을 쌓아온 인물이다. 이러한 사람이 공공극장의 예술감독을 맡았으니 스포트라이트를 받는 것은 당연지사일 것이다.

2011년 개최된 요코하마 국제공연예술회의는 이 도시를 공연예술도시로 공식 확인하는 자리가 되었다. 일본 최초 개항지로서의 상징성, 도쿄와의 지리적 접근성, 창조도시 프로젝트, 민간문화예술시설의 활성화, 그리고 가나가와 예술극장 건립 등이 복합적으로 맞물린 결과였다. 또한 같은 시기에 세계적인 현대공연예술 네트워크인 IETM의 위성회의가 요코하마에서 개최된 것도 이곳을 국제적인 공연예술도시로 자리매김하는 데 공헌했다.

예술제 예술감독인 사토 마이미는 일찍이 춤의 사회적 효용성을

한국공연단, 전통국악실내악단 '율' 공연

한국현대무용단 LPD 「노코멘트」 공연

간파한 인물이다. 언어를 초월하여 사람들을 연결시켜 온 춤의 기
능을 주목하고 예술제의 키워드로 삼았다. '춤으로 교신'을 부제로
내세운 이유다.

오프닝 무대는 걸그룹 '덴파구미'와 '콘도르즈' 무용단이 열었다.
이들은 예술제를 위해 특별히 만든 곡인 「재출발」을 부르고 춤을 췄
다. 6인조 아이돌 그룹인 '덴파구미'는 요코하마 홍보대사로 활동
중이다. 취안저우와 광주에서 열린 동아시아문화도시 개막식에도 참
여했기 때문에 친숙함으로 다가왔다. 이 멤버들은 일본의 전형적인

한·중·일예술제 전체 출연진이 무대 위에서 춤추는 모습

오타쿠(otaku)다. 오타쿠란 만화, 애니메이션, 게임 등의 특정분야에 마니아보다 더 심취하거나 몰두하는 사람을 일컫는 말이다. 이들은 오타쿠 문화의 메카인 도쿄의 아키하바라를 근거지로 활동하고 있다. K-Pop을 이끌고 있는 한국의 걸그룹과는 여러 가지 면에서 차이가 나지만 일종의 서브컬쳐인 오타쿠 문화라는 독특하고 새로운 문화를 선호하는 일본인의 심성을 파고들어 인기를 얻고 있다.

오프닝 무대가 끝나고 본격적인 한·중·일 공연이 개막되었다. 중국, 한국, 일본 순으로 각기 30분씩 무대가 제공되었다. 그 현장

속으로 들어가 본다.

중국은 푸젠성 이원희(梨園戱)실험극단이 1막 첫 무대의 주인공이 되었다. 1953년에 설립된 세계에서 유일한 중국 전통양식인 이원희 전문연출단체다. 자신들의 레파토리인 '옥진행'과 '축국'에 나오는 명장면들을 아름다운 음악과 소리, 춤으로 재현했다.

이어지는 무대는 취안저우가 발상지인 남소림 무술단이다. 우리가 알고 있는 소림사 무술은 북소림이다. 남소림 무술은 취안저우의 유서 깊은 문화를 바탕으로 형성되었는데 중국의 무형문화유산으로 지정될 정도로 전통적인 권법이다. 명·청 시대 이후 이 무술은 동남아시아와 일본의 류쿠국(오늘의 오키나와)을 거쳐 세계 여러 나라에 보급되어 취안저우와 세계를 잇는 문화교류의 가교가 되었다. 그러나 이 파워풀한 무술을 공연예술양식과 결합하여 한 차원 승화된 표현력으로 품격을 높였으면 하는 아쉬움이 남았다.

2막은 광주의 무대다. 암전이 되고 막이 열리자 붉은 홍의를 입은 악사들이 무대를 지배하고 있다. 순간 팽팽한 긴장감이 아우라를 발하며 관객들의 눈과 귀를 빨아들이고 있다. 이윽고 관악기의 장중한 가락이 일제히 소리를 내며 객석을 향해 파고든다. 수제천(壽齊天)이다. 원래는 「정읍사」를 노래

2014 동아시아문화도시 광주개막공연

하던 성악곡이었는데 조선시대 궁중 의식 때 연주되면서 노래는 없어지고 국악합주곡으로 정착되었다. 피리와 대금의 관악기 선율이 주도하면서 웅장함과 섬세함을 동시에 맛볼 수 있는 묘미를 준다.

출연진은 광주의 젊은 국악인들로 구성된 전통국악실내악단 '율(律)'. 나영선 대표는 피리독주곡 「상령산 풀이」로 수제천의 감동을 이어간다. 감칠맛 나는 피리 소리가 귀에 감길 무렵 광주의 재능 있는 춤꾼 박선욱은 살풀이를 변용한 산조류(散調流)로 무대를 꽉 채우고 스크린에는 미디어아티스트 이이남의 영상이 시나브로 흐르고 있었다. '율' 은 자신들의 무대를 산조합주로 깔끔하게 마무리했다.

'율' 이 우리의 전통음악의 정수를 느끼게 해주었다면 이어서 등장한 'LDP 무용단' 은 컨템퍼러리 무용계에 새로운 선풍을 일으키고 있는 인기무용단 답게 참신함과 역동성으로 객석을 장악했다. 작품 「노코멘트(No Comment)」는 광주 출신 신창호 대표의 안무작이다. 12년 동안 지속적으로 공연하고 있는 LDP의 대표적 레파토리이다. 심장을 자극하는 가슴치는 동작, 핏줄로 퍼져나가는 심장의 에너지를 뜻하는 슬라이딩, 맥박의 흐름인 발구르기 등 온몸으로 이미지를 전달하고 있다. 때로는 침묵이 말로 하는 어떠한 설득보다 더 많은 의미를 전달한다는 메시지가 느껴졌다. 15명 무용수 전원 남성이다. 이들의 신들린 듯한 춤사위는 마지막 순간까지도 넋 놓고 쳐다보게 만드는 중독성 강한 자장을 만들고 있었다.

3막은 '산카이주쿠 무용단' 이 열었다. 1980년부터 해외시장에 진출한 무용단이다. 이 단체의 이름이 널리 알려진 것은 부토(舞踏) 전문 무용단이기 때문이다. '죽음의 춤' 으로 불리기도 하는 부토는 1960년대 일본사회의 허무주의 산물이다. 무대에 선 부토 무용수를 보는 것은 충격적이다. 머리를 박박 밀고 얼굴에 회칠한 남성 무용수들이 느리고 무거운 동작으로 천천히 움직인다. 사람이라기보다는 밀랍으로 만든 인형이나 대리석 조각처럼 보인다. 춤의 테크닉이나 스타일의 기본을 찾기가 어렵다. 끝없이 반복되는 단순한 동작은 춤보다는 제사의식처럼 보여져 처음 보는 관객들에게는 많은 인내심을 요구하고 있다.

마지막으로 등장한 그룹은 개성 넘치는 이색 댄스 컴퍼니 '콘도르즈'다. 이들은 검정 교복 차림으로 무대에 나타나는 것으로 유명하다. 춤, 생음악연주, 인형극, 영상, 콩트를 전개하는 댄스그룹으로 세계 30개국 이상에서 공연을 했다. 세대를 초월하여 폭넓은 사랑을 받아온 남성무용단이다. 코스프레(Cosplay)를 연상시키는 복장과 유머 넘치는 퍼포먼스는 서브컬쳐에 열광하는 일본 관객들을 사로잡기에 충분했다.

예술제의 피날레는 출연자 전원이 무대에 나와 함께 춤을 추는 장면을 연출했다. 요코하마 오봉(추석)춤이라고 한다. 이 춤을 객석의 관객까지 모두 일어나 따라 하도록 하면서 축제의 대단원의 막을 내리는 클로징은 퍽이나 인상적이었다.

한·중·일 3국은 오래전부터 활발하게 교류했으며 공유하는 문화도 다양하다. 18세기 한·중·일 지식인은 한문이라는 공통 문어(文語)를 매개로 아름다운 지적 커뮤니티를 형성하기도 했다. 직접 만나서는 필담으로, 헤어져서는 편지로 소통했다. 조선 지식인이 그 중심에 있었다. 이들은 적극적 태도로 중국과 일본의 지식인들과 물꼬를 텄고 서신 왕래와 학문 교류로 그 만남을 소중하게 가꿔 나갔다. 이들은 연행사 또는 통신사의 일원으로 중국과 일본으로 건너가서 단 한 차례 혹은 고작 몇 번 그들과 만났을 뿐이다. 그런데 그 만남이 그것으로 끝나지 않고 동료와 후배 그룹으로 확산되어 오랜 세월 동안 교류의 네트워크로 작동했다.

세 나라가 간직하고 있는 문화적 다양성과 풍요로움은 엄청난 에너지를 갖고 있다. 이러한 잠재력과 가치는 서구 중심의 문화적 획일성을 극복할 수 있는 현실적 대안으로서 새롭게 부각되어야 한다.

한·중·일 사이의 복잡한 정치, 경제적 갈등 관계는 현 시점에서도 계속되고 있지만 적어도 문화적으로는 하나의 아시아를 향해 한 발짝 한 발짝 나아가고 있음은 분명하다. 유연하고 열린 문화를 지향하는 '동아시이 문화공동체(Culture Community)'를 형성함으로써 동아시아의 공존과 번영을 도모할 것이다. 작년에 처음으로 개최한 '한·중·일 예술제' 행사도 이러한 인식을 공유하면서 계속되고 있다.

그 출발점은 이번 2014 한·중·일 예술제의 주제이기도 한 '한·중·일 문화예술의 공통점과 차이점을 알고 이해하기'에서 비롯되어야 할 터이다. 그러한 맥락에서 이번 예술제는 각 나라의 미의식을 재발견하면서 동아시아 공연예술의 미래와 발전가능성을 탐색한 무대였다.

— 월간 『아시아문화』, 2014. 10.

제2장

문화 in

+

공간

공연예술

정책

광주의 정체성을 찾는 도시재생

　전남여고 건너편에 비움박물관이 있다. 이곳은 옛 광주읍성 동문인 '서원문터'다. 박물관 안으로 들어서면, 그때부터 감탄사가 절로 나온다. 1층부터 4층까지 전시된 2만여 점의 민속품이 관람객의 시선을 압도해 버린다. 우리가 업신여기며 버리고 불태워버린 손때 묻은 민속품과 생활용기들이 아름다운 추억으로 되살아나고 있는 것이다. 그래서 관람을 하는 동안, 버림받은 것들 그러나 우리를 키워낸 생활의 필수품으로부터 얻은 아름다운 감동으로 마음이 충만함을 느낄 수 있다.

　광주의 도시재생 사업도 이러한 맥락에서 접근해야 할 것이다. 오래된 것, 낡은 것, 작은 것, 버려진 것들을 통해 새로운 것을 재창조해야 한다.

　과거 품앗이나 두레와 같은 공동체 문화는 마을의 공공성을 유지하고 발전시키기 위한 수단이었다. 또 동네 어귀에 있는 마을숲은 주민들을 위한 공간이자 모두가 책임지고 가꾸는 공유의 공간이었다. 다시 말하면 과거 우리 조상들은 일상에서 만나는 모든 공간과 관계에서 스스로 공공성을 확보했다. 따라서 지역의 독특한 역사와 문화, 그리고 삶의 방식과 흔적을 지키고 보살피며, 채워주고 남겨두는 일이 도시재생의 핵심이 되어야 한다. 그런데 그동안 도시의 공공정책은 이율배반적이었다. 재개발과 재건축의 이름으로 골목길을 지우고 한옥을 없앴다. 수십 년 동안 주민과 함께해 온 건물의 파괴를 서슴지 않게 자행했다. 그래서 역사와 문화 보존을 통한 도시재생의 의미와 효과는 매우 크다. 관광을 통한 경제적 효과는 물론이고 시민의 문화적 삶의 향상에도 기여한다. 양림동이 역사문화마을로 떠오른 이유도 근대문화라는 역사가 잘 보존되었기 때문이다.

또한 도시의 성장과 함께한 역사, 특히 도시의 정체성과 연계된 문화는 도시재생의 주요 테마가 된다.

내년은 광주에 전깃불이 켜진 지 100년이 되는 해다. 처음 전기가 들어온 때가 1917년이고 그해 수기동에 광주전등회사가 설립되어 발전소 건물이 들어섰다. 발전용량은 3,500 등 규모였으나 우선 1천 개의 등을 공급했고 석유램프 가로등은 전등으로 교체되었다.

광주가 유네스코 미디어아트 창의도시로 지정된 핵심적 이유는 빛의 도시라는 점이었다. 이제 미디어아트로 특화하기 위한 사업이 본격 진행 중인데 특히 충장로 4·5가를 중심으로 지역 상권과 미디어아트를 결합한 충장미디어프론티어 조성사업이 주목을 받고 있다. 전기 도입 100년이 되는 내년에 충장로를 빛으로 밝히는 빅 이벤트가 필요한 이유이다.

광주 최초의 발전시설이 입지했던 이 지역은 소비패턴의 변화와 도심공동화로 극심한 경기침체를 겪고 있다. 빛의 도시라는 광주의 정체성을 찾고 더불어 지역 상권을 살리는 것이 바로 도시재생이다.

– 〈광주동구도시재생지원센터〉 소식지, 2016. 9

역사와 기억 그리고 예술의 역할

오랜 기억 속의 '녹두서점'이 화려하게 부활했다. 마치 낯익은 흑백영화가 갑자기 칼라로 변환된 생경함마저 들 정도였다. 광주비엔날레 1전시실에서 만난 '녹두서점'은 이번 비엔날레의 타이틀 '제8기후대(예술은 무엇을 하는가?)'를 상징하는 작품처럼 당당하게 전시되고 있다.

35년 전까지 실존했던 서점의 오리지널리티를 다시 상기시킨 것은 녹두장군 전봉준 사진이었다. 기억 속의 액자, 그대로였다. 붉은 색 바탕에 끼워진 한 장이 낡은 흑백사진. 그 사진은 당시 녹두서점의 분위기를 지배하는 힘이었다. 그리고 젊은 청춘들을 역사의 대열로 이끈 상징이 되었다.

내가 녹두서점을 들락거리기 시작한 때는 대학에 입학한 해인 1978년이었다. 그러니까 녹두서점이 광고 앞 계림동에 문을 연 다음 해부터였다. 사회과학을 공부하는 서클 커리큘럼에 따라 스터디할 책들을 구입할 요량이었다. 당시 대학가 의식화 교육의 필독서들로는 리영희 선생의 『전환시대의 논리』와 『우상과 이성』, 파울로 프레이리의 『페다고지』, 박현채 선생의 『민족경제론』 등이 대세였다. 특히 리영희 선생의 책을 통해 중국 역사와 베트남 전쟁을 보는 새로운 시각을 접했는데 대단히 충격적이었다. 대학교 1학년에게 어떻게 세상을 살아야 옳은 것인지를 일깨우면서 유신 말기를 통과하게 해준 버팀목 같았다.

당시 녹두서점은 이른바 판금서적도 복사본으로 판매했으며 일본 이와나미서점에서 발간한 『제3휴머니즘』 등 일본 서적들과 계간 『창작과비평』이나 『다리』지 영인본 등도 쉽게 구할 수 있어서 학생들의 단골서점이었던 터였다.

1980년 3월 '민주화의 봄'이 도래하면서 긴급조치위반 등 각종 시위사건으로 제적되었던 선배들이 복학했는데 녹두서점 주인 김상윤 선배도 포함되었다. 그 후 5월 17일 밤, 나는 녹두서점 주인과 함께 운명을 같이하게 된다. 예비검속이란 이름으로 505보안대로 끌려가고, 상무대 헌병대 영창을 거쳐 광주교도소로 수감된 것이다. 주인을 잃은 녹두서점은 아내 정현애 씨를 통해 5월 항쟁의 한복판에서 투쟁 본부 역할을 담당한다.

스페인 작가 도라 가르시아는 이 녹두서점을 예술의 역할이란 관점으로 접근한다. "녹두서점은 책만 판 게 아니라 지식과 공동체의 장소였으며 산 자와 죽은 자가 함께 행진하고, 소통하고 새로운 의미들을 만들어낸 공간"이라고 해석했다.

녹두서점과 같이 시대적 역할을 바탕으로 새로운 의미를 창출한 공간이 비엔날레 작품이 되는 현상을 보면서 예술의 사회적 역할을 통찰하게 된다. 이 관점은 이를테면 광주비엔날레 총감독 마리아 린드가 "현대미술은 사회를 이해하는 가장 의미 있는 매개다"면서 예술이 무엇을 하는지 그 역할을 고민해야 한다고 말하는 것과 맥락을 같이한다.

일찍이 독일의 퍼포먼스 예술가 요제프 보이스(Joseph Beuys)는 "모든 사람은 예술가다"라는 표현으로 예술가의 역할을 수정하고, 예술 개념을 폭넓게 이해하려는 '확장된 예술 개념'을 말했다. 예술 개념을 미술관에 소장될 수 있는 형태로 한정되어 사용한 관습적 틀을 단호히 거부하면서 인간 활동의 영역 전반을 포괄하는 개념으로 확장한 것이다.

또한 미국의 미술비평가이자 철학자인 아서 단토(Arthur Danto)는 예술작품을 어떤 의미를 구현하고 있는 사물로 정의한다. 즉 '구현된 의미'이다. 여기서 예술은 더 이상 미학의 테두리 안에 가둬질 수 없다는 미학의 종언, 그 유명한 '예술의 종말'이라는 선언이 나온다. 그에게 예술은 더 이상 외관의 문제가 아니라 철학의 문제가 된다. 새로운 예술작품이 갖는 의미를 '구현된 의미'라는 정의를 통해 철학적으로 해명하려는 것이다.

광주민주화운동의 역사 그 자체였던 녹두서점이 비엔날레를 통해 예술로 부활한 현장을 보면서 우리 삶의 모든 활동이 예술로 포괄된다는 예술 개념의 확장은 계속 진행형이라는 생각이 들었다.

– 〈전남일보〉, 2016. 9. 7.

광주역사박물관,
성급하게 추진할 일 아니다

이탈리아의 세계적인 건축가인 알도 로시(Aldo Rossi)는 도시 공간은 그 자체로 역사를 보관하는 저장소라는 점에서 도시를 역사의 유산으로 설명한다. 시간과 더불어 건설되면서 시간의 편린과 흔적을 간직하는 구체적 인공물로서 도시를 연구하는 관점이다. 한마디로 도시는 '집단 기억의 장소'이므로 도시의 정수(essence)는 역사적 요소가 선명하게 부각된 도시의 건축물을 통해서 발현된다는 것이다.

그래서 우리가 도시를 방문할 때 그 도시의 정체성을 가장 빠르게 느낄 수 있는 방법은 도시의 역사가 투영된 건축물을 찾는 것이다. 그리고 도시의 전모를 한눈에 관람하려면 역사박물관을 방문하는 것이 좋은 방법이다. 그런데 유럽의 역사문화도시들은 그 도시의 역사성과 상징성이 담긴 문화유산에 역사박물관을 건립하는 경우가 많다. 따라서 그 역사박물관에 가면 그 도시가 내재한 문화와 역사의 가치, 미학 등을 한꺼번에 볼 수 있다. 역사박물관이 그 도시의 얼굴이자 이미지를 형성하고 있는 것이다.

우리나라도 예외가 아니다. 광주를 제외한 전국 6대 도시를 비롯해 크고 작은 많은 도시마다 그 도시의 역사적 체취를 느낄 수 있는 역사박물관이 존재한다. 이 중에는 문화재로 등록된 근대문화유산에 역사박물관을 건립한 도시도 있다. 대구와 부산과 목포다. 이 세 도시는 모두 일제 시대 건축된 근대문화유산에 근대역사관을 세웠다. 대구는 1932년에 건립한 조선식산은행 대구지점에, 부산은 1929년의 동양척식회사 부산지점에, 목포는 1900년에 세운 목포일본영사관 건물에 각각 근대역사관을 만들었다.

10여 년 전부터 광주의 역사학자를 중심으로 광주역사박물관 건립 문제는 지역사회의 화두 중 하나였다. 그러다가 민선 6기에 들어와서 역사박물관 건립이 시급하다는 시민적 요구를 수렴하기로 결정한다. 특히 작년의 민관합동정책워크숍에서는 이 문제가 12개 현안 과제 중 최우선 선결과제로 채택된 일도 있었다.

그런데 건립방안이 문제로 떠올랐다. 현 중외공원에 있는 시립민속박물관을 리모델링해서 1층은 역사관, 2층은 남도민속관으로 개편해서 운영하겠다는 것이다. 94억 원의 사업비로 개관한 지 29년이 된 노후화된 시설을 전면 개보수하면서 지역사회의 최우선 현안사업인 역사박물관 건립문제도 동시에 해결하겠다는 계획이다.

역사박물관을 단지 역사적 사실이나 유물을 전시하는 단순한 공간으로 인식해선 곤란하다. 현재의 민속박물관 전시방식과 같은 또 하나의 박제된 세트를 만드는 일이 아닌 까닭이다. 역사문화의 중요한 매개공간이면서 역사의식을 형성하는 공간이어야 하기 때문이다. '집단 기억의 장소' 이자 현재의 역사적 인식과 미래를 위한 전망의 근거가 되어야 한다. 역사박물관에 들어서는 순간, 광주의 과거와 현재, 미래를 잇는 광주의 정체성이 하나로 응축된 공간임을 느낄 수 있어야 된다는 말이다.

그런데 건축물로서 역사성과 상징성이 없으며 접근성도 떨어지는 시립민속박물관 안에, 그것도 전시면적 1,230㎡의 작은 규모로 역사관을 구축하겠다는 발상은 문제가 있다고 생각한다.

발제자인 김덕진 교수도 민속박물관 리모델링 사업 방식을 통한 역사관 구축에 의문을 제기하고 있다. "기존 시설을 리모델링하여 착수하는 것이 과연 최선의 길인지 의문이다. 신축을 하지 않고 현재 위치에 개관하는 것에 대해 시민들은 의아해할 가능성이 높다"

이러한 발제자의 문제제기에 전적으로 공감한다. 아울러 광주역사박물관 건립문제가 시립민속박물관 내부에서 결정할 문제인지 의문을 갖지 않을 수 없다.

다음으로 역사박물관 건립과정의 문제를 지적한다. 조광철 민속박물관 학예연구사의 발표에 따르면 이미 광주역사관의 전시구성, 즉 공간구성이나 전시주제 및 연출까지 결정된 것으로 파악된다. 작년 10월에 사업추진계획 방침 결정을 받은 이후 빠른 속도로 진행하고 있음을 알 수 있다.

역사박물관을 건립하려면 위치와 컨셉, 명칭은 기본이고 전시 내용 및 형식, 관람객의 수용태도 및 인식에 미치는 영향 등 박물관을 둘러싸고 있는 다양한 맥락들이 함께 다루어져야 한다. 그래서 역사학, 사회학, 박물관학, 정치학, 건축학, 디자인학 등 다양한 분야의 전문가들을 비롯해 시민사회와 치열한 토론과 합의과정을 거치는 것이 필수적 요건이다. 그래야 충분한 검토 없이 성급하게 졸속으로 추진했다는 비판으로부터 자유로울 터이다.

그런데 지금까지 광주역사박물관을 두고 충분한 공론의 과정이 있었는지 들어보지 못했다. 오늘의 포럼이 중요한 의미를 담고 있는 이유이다.

박물관 건립에 있어서 다양한 견해의 수렴과정을 거치지 않고 졸속으로, 일방적인 추진을 해서 비판을 받은 대표적 사례가 대한민국역사박물관이다. 2008년 이명박 대통령이 현대사박물관을 제안한 후 2012년 개관까지 모든 과정이 4년여 동안 일사천리로 진행됐다. 이 과정에서 명칭부터 내용에 이르기까지 제대로 된 전문가 토론회 한번 열리지 않았다. 대신 당연직 정부기관 대표와 정부에서 임명한 역사학자 등 민간위원들이 밀실에서 논의해서 모든 것을 결정하고 말았다. 그 결과 대한민국역사박물관은 모두를 위한 역사박물관이 아니라 '그들만의 역사박물관'이라는 비판을 듣고 있다.(이동기, 홍석률, 『역사비평』 2012년 여름호.)

이 대한민국역사박물관 사례에서 우리는 교훈을 얻어야 한다. 업적이나 실적을 남기겠다는 조급성에 사로잡혀 과오를 범해서는 안 된다는 메시지다.

광주역사박물관의 위치, 명칭, 주제, 전시내용, 전시형식, 규모 등에 대한 광범위한 토론이 필요하다. 광주시가 보다 개방적이고 유연한 태도로 이 문제에 접근하기를 요청한다. 틀에 박힌 관성적 사고방식을 뛰어넘어 미래를 내다 보는 비전을 가지고 광주에 새로운 역사를 쓴다는 각오를 가졌으면 좋겠다.

발제자인 김덕진 교수가 말한 "역사관에 무엇을 담을 것인가에 대해서는 전문가는 물론이고 일반시민들의 폭넓은 의견을 청취하여 가닥을 잡아야 한다"는 지적에 대해 공감한다.

어쩌면 오늘의 이 포럼이 광주역사박물관 건립문제를 공론의 장으로 이끄는 첫출발이 되었으면 한다.

건립의 명분, 즉 필요성이나 당위성은 충분하다. 이제는 어떻게 전문가와 시민의 의견을 잘 수렴하여 갈 것인가에 집중해야 한다. 시민사회와 활발한 소통을 통해 오해나 왜곡을 불식시키고, 다양한 의견들을 반영하기위한 노력을 해야 한다.

광주역사박물관 건립은 광주의 역사와 문화에 새로운 숨결을 불어넣는 일이다. 따라서 광주의 자랑이 되고, 광주를 찾는 외지인에게 광주를 알리는 가장 필수적인 관광코스가 되는 박물관으로 우뚝 서기를 희망한다.

− 「문화도시광주포럼 토론문」, 2016. 5. 3.

광주역사박물관, 제대로 만들어야

문화콘텐츠 관점에서 볼 때 대구와 전주가 솔직히 부러울 때가 많다.

우리와 '달빛동맹'을 맺고 있는 대구는 어느덧 한국공연예술을 대표하는 도시가 되었다. 그 중심에 국제오페라축제와 국제뮤지컬 페스티벌이 있다. 오페라와 뮤지컬은 광주가 선망하는 장르다. 그런데 대구는 이 글로벌 축제를 10년 이상 끌어가고 있다. 축제만이 아니다. 대구근대골목투어에 참여한 탐방객이 작년에 100만 명을 넘었다. 이 투어는 올해 문화재청의 야행(夜行)프로그램으로 선정됐다. 이제는 야경을 즐기면서 대구 근대역사를 둘러볼 수 있을 만큼 진화를 거듭하고 있는 것이다.

또 전주는 어떤가? 한옥마을은 대한민국의 관광명소다. 넘쳐나는 관광객들로 몸살을 앓을 정도로 유명세를 치르고 있다. 여기에다 판소리를 토대로 월드뮤직을 즐기는 전주세계소리축제가 있다. 그리고 벌써 17년째 계속 이어지는 전주국제영화제는 대안, 독립영화제로 굳게 자리 잡았다.

이뿐만이 아니다. 두 도시에는 광주에 없는 문화공간을 갖고 있다. 문학관과 역사박물관이 그것이다. 대구에는 대구문학관이 있고 전주에 가면 최명희문학관을 만난다. 특히 대구는 근현대문학의 요람을 자처하면서 국립한국문학관을 유치하기 위한 본격적 활동에 돌입했다.

역사박물관에 있어서도 차별성이 돋보인다. 대구근대역사관은 대구시 유형문화재다. 1932년에 건립된 조선 식산은행 대구지점 건물을 리모델링해서 2011년에 대구근대역사관으로 개관했다. 연간 관람객이 2년 연속 10만 명을 넘었다. 특히 지역청소년이 전체의 35%를 차지한다. 대구의 근현대사를 배우는 교육장으로 활용되고 있다는 증거다.

전주역사박물관은 2002년에 개관했다. 작지만 아담한 5층 건물을 신축해 전주의 역사와 문화를 담았다. 개관 이전부터 지금까지 민간 전문단체에 운영을 위탁하고 있다. 이곳은 전주학의 본산으로서 매년 연구성과를 책자로 발간하고 있다.

이제 광주역사박물관에 대해 말해보자. 광주시는 도시역사의 전모를 한눈에 볼 수 있는 역사박물관 건립이 시급하다는 시민적 요구를 수용하기로 결정한다. 작년 민관합동정책워크숍에서도 광주의 최우선 과제로 선정되었기 때문이다. 만시지탄이지만 잘한 일이다.

그런데 문제는 건립방안이다. 중외공원에 있는 시립민속박물관을 리모델링해서 1층에 광주역사관을 구축하겠다는 것이다. 개관한 지 29년이 된 노후 시설을 전면 개보수해 1층 역사관, 2층 남도민속관으로 개편 운영한다는 방침이다. 관련 유물도 수집했고 전시장 공간구성이나 전시주제도 정했다고 한다.

역사박물관 건립이 민속박물관에서 결정할 문제인지 의아할 뿐이다. 역사박물관은 현재의 민속박물관 전시방식과 같은 또 하나의 박제된 세트를 꾸미는 일이 아닌 까닭이다.

역사박물관을 단지 역사적 사실이나 유물을 전시해 놓은 단순한 공간으로 인식해선 곤란하다. 역사문화의 중요한 매개공간이면서 역사의식이 형성되는 공간이기 때문이다. '집단적 기억의 저장소'이자 현재의 역사적 인식과 미래를 위한 전망의 근거가 되어야 한다. 그곳에 들어서는 순간, 광주의 과거와 현재, 미래를 잇는 도시 정체성을 느낄 수 있어야 된다는 말이다.

역사박물관을 둘러싼 다양한 맥락들을 다룰 수 있는 전문가들과 시민사회의 여론을 제대로 수렴할 것을 권고한다. 그래야 충분한 검토 없이 졸속으로 추진했다는 비판을 면할 수 있다. 위치, 명칭, 콘텐츠, 주제, 규모 등에 대한 치열한 토론과 합의과정이 필요하다.

무엇보다도 94억 원이라는 사업비가 투입되는 광주민속박물관 리모델링 사업 방식을 통해 광주역사관을 구축하겠다는 발상에 동의하기 어렵다.

광주의 역사가 오롯이 투영된 역사박물관이 되려면 우선적으로 건축물의 역사성과 상징성이 중요하게 고려돼야 할 터이다. 왜 대구와 부산과 목포가 근대문화유산을 근대역사관으로 만들었는지를 잘 생각해야 한다.

광주역사박물관 건립은 광주의 역사와 문화에 새로운 숨결을 불어넣는 일이다. 더 많은 논의와 준비가 필요하다.

— 〈전남일보〉, 2016. 4. 27.

양림동의 기억과 내셔널트러스트

쌓인 눈 속으로 발이 푹푹 빠지던 날, 양림동 호랑가시나무 언덕 길을 올랐다. 한때 선교사 사택으로 불린 건물들은 하얀 눈을 뒤집 어쓴 채 어둠 속에 웅크리고 있고 그들이 심은 아름드리 흑호두나 무 가지 위에 걸쳐진 소담스런 LED 등불이 방문객을 맞이하고 있 다. 양림역사의 흔적을 고스란히 껴안고 있는 양림동산은 말없이 시간의 편린들을 펼쳐 보이고 있을 뿐이다.

광주에 남아 있는 서양식 건물 중 가장 오래된 우월순 선교사 사 택은 이국적 풍광 때문에 설명이 필요 없을 정도로 유명해졌다. 양 림동 근대역사문화 탐방의 필수코스다. 그런데 그 아래에 있는 유 수만 선교사와 원요한 선교사 사택은 눈에 잘 띄지 않았던 터였다. 1998년까지 선교사들이 살았지만 그들이 떠난 후, 학생 기숙사로 잠깐 사용하다가 수년 동안 빈집으로 방치되었기 때문이다.

잡목들과 쓰레기로 둘러싸인 사택들은 이곳을 임대한 문화기획 자의 손을 거쳐 아름다운 창의적 공간으로 탈바꿈했다. 한 곳은 작 가들의 레지던시 공간인 호랑가시나무 창작소로 변했으며 또 한 곳 은 게스트하우스가 되었다. 리모델링 과정에서 선교사들의 손때가 묻은 것들은 창틀 하나라도 그대로 살렸다. 그리고 그 옆에 폐허처럼 존재했던 창고는 복합아트센터로 화려한 변신을 준비 중이다. 수년간 버려진, 음침했던 공간은 어느덧 TV 드라마 촬영지가 되어 탐방객들의 발걸음을 끌어당기고 있다.

독일의 철학자 아도르노(Adorno)는 역사적 기억 없이는 그 어떠한 아름다움도 있을 수 없다고 단언한다. 그 역사적 기억을 건축물에 투영하면 건축물의 공공성이 될 것이다. 그래서 건축가 승효상은 아예 "건축은 공공의 소유"라고 역설하고 있다. 건축물이 갖고 있는 공공의 가치를 높여야 한다는 뜻이다. 건축은 강력한 기억장치이기 때문에 수많은 세월 동안 그 장소에 새겨졌던 삶의 기억들을 유지시켜 다음 세대에 이어줄 수 있어야 한다는 것이다.

건축의 공공의 가치를 살려 시민의 소유로 영구히 보존하고 관리하는 시민운동이 국민신탁운동인 내셔널트러스트(National Trust) 운동이다. 1895년 영국에서 시작된 이 운동은 '세계내셔널트러스트기구(INTO)'가 발족될 정도로 전 세계 30여 국이 활동하는 자연유산 및 역사문화유산 보전운동으로 확산되었다.

한국의 내셔널트러스트 운동은 1990년대 중반 '그린벨트 해제 반대운동'을 계기로 시작되어 2000년 한국내셔널트러스트 출범으로 이어진다. 그동안 시민들의 자산 기증과 기부, 참여를 통해서 많은 시민유산을 확보했다. 특히 국립중앙박물관장을 역임한 최순우 선생이 말년에 살았던 성북동 한옥이 철거될 위기에 놓였을 때 시민 성금으로 매입한 뒤 보수와 복원을 거쳐 오늘의 '최순우 옛집'으로 탈바꿈한 일은 이 운동의 가치를 널리 알린 기폭제가 되었다. 전남 나주의 '도래마을 옛집', 조각가 권진규가 생전에 작업한 '권진규 아뜰리에'도 이러한 과정을 거쳐 시민을 위한 공간으로 재탄생되었다.

그런데 최근 양림동에서도 내셔널트러스트 모델을 접목하자는 움직임이 일어나고 있다. 반가운 일이다. 양림동의 근대문화유산에 대한 관심이 높아지고 있지만 방문객에게 개방되지 않은 상태가 반복되면서 역사문화자원의 개방 및 운영을 위한 체계적 관리의 필요성이 대두되고 있던 터였다. 문 닫힌 최승효 고택 앞에서 발걸음을 돌린 탐방객은 두 번 다시 찾지 않는다. 재원도 내셔널트러스트처럼 공공 지원금이 아닌 시민과 민간 기업의 후원과 모금으로 마련한다는 계획이다.

때마침 양림동을 중심으로 한 남구는 문화체육관광부가 지정한 2017 올해의 관광도시로 선정되었다. 가칭 '양림 트러스트'가 설립되어 활동할 수 있는 여건은 무르익었다. 관건은 역사문화자원을 소유한 개별 소유주체들의 이해와 협력관계 구축이다. "건축은 공공의 소유다"라는 명제가 큰 울림으로 다가오는 까닭이다.

― 〈전남일보〉, 2016. 1. 27.

문화유산의 재발견

서원(書院)이 뜨고 있다. 인문정신의 회복은 서원의 부활과 밀접한 관련이 있다고 믿기 때문이다. 모 대기업에서는 동서양의 고전을 바탕으로 하는 인문 교육을 통해 지도자를 양성할 목적으로 21세기형 서원을 설립할 정도다. 배금주의의 만연으로 물질의 가치가 기준이 된 세상에서 조선 선비들의 고결한 정신의 터전이었던 서원이 재발견되고 있는 셈이다.

최근 문화재청이 '역사와 문화가 살아 숨쉬는 향교·서원 만들기 사업'을 추진한 까닭도 여기에 있다. 올해 38개 대상을 확정하고 총 24억 원을 지원한다. 이 가운데 광주의 월봉서원과 전남 장성의 필암서원이 자리 잡고 있다.

서원은 후학들이 표본으로 삼고 싶은 스승의 연고지에 제향(祭享)과 교육을 위해 설립한 곳이다. 오늘날의 사립지방대학이라 할 수 있다. 비록 조선 후기에 난립한 서원들로 인해 파벌의 근거지가 되자 대원군의 서원철폐령을 맞게 되지만 서원의 정신마저 사라진 것은 아니다.

서원들은 다양한 문화콘텐츠를 통해 오늘날에도 여전히 유효한 정신적 가치를 지니고 있음을 보여준다. 이러한 서원의 재발견으로 서원은 박제화된 문화유산이 아니라 얼마든지 활용가치가 많은 생기 넘치는 문화공간임을 깨닫게 된다.

이러한 맥락에서 필자는 양림동의 문화유산들을 주목한다. 양림동은 광주 근대문화의 발상지와 같은 곳이다. 1904년 미국 남장로교 선교부가 양림동에 뿌리를 내리면서 광주의 근대문화가 개화했기 때문이다. 이때부터 선교와 교육, 의료공간의 출발점으로 양림동은 재탄생된 것이다.

오늘날 양림동에는 많은 문화재가 존재하고 있다. 이러한 문화재 하나하나의 가치를 소중히 여기고 의미를 재발견함과 아울러 현대적으로 재창조해야 한다.

특히 올해는 광주시 유형문화재인 '오웬기념각' 건립 100주년이 된다. 오웬 선교사는 유진벨 선교사와 함께 광주 최초의 선교사로 활동하던 중 1909년 순교하여 양림동산에 묻혔다. 그를 기념하기 위한 건물이 1914년 건립된 오웬기념각이다. 이 건물은 일제하 민족의식 배양의 요람이자 서양의 문화예술이 전파된 공연장이었다. 광주 최초의 서양음악회인 '김필례 독주회'도 이곳에서 열렸다. 100년의 근현대사를 통과해온 역사를 재조명하는 행사가 열리길 기대한다.

양림동에는 근대문화와 더불어 전통문화의 숨결도 느낄 수 있다. 이장우 가옥과 최승효 가옥은 나란히 광주시지정 민속자료 제1, 2호로 지정되었다. 100년이 넘은 한옥이 훼손되지 않고 잘 보존되어 근대문화와 자연스럽게 어울려 공존하는 모습은 그 자체로 아름답다.

그러나 서원이 인문과 문화예술의 중심축으로 부활하고 있는 때에 이 전통한옥들은 아직도 엄숙하고 폐쇄적인 모습으로 인식되고 있지 않나 생각한다. 대문을 활짝 열고 시민들과 함께 인문정신이 넘치는 공간으로, 문화예술의 향기가 끊임없이 흘러나오는 공간으로 거듭나기를 바라는 마음은 필자만이 아닐 것이다.

　　최승효 가옥에는 자이당(自怡堂)이란 현판이 걸려 있다. 추사 김정희가 중국 연경에서 만나 평생 스승으로 모신 옹방강이 말년에 쓴 글씨다. 이 당호는 스스로 기쁜 집이란 뜻이니 이 기쁨을 많은 사람들과 공유하는 것이 좋지 않겠는가.

　　때마침 양림동의 주민, 문화기획자, 예술가들이 힘을 모아 협동조합을 설립한다는 소식이 들려온다. 양림동의 역사와 문화를 만들어 온 사람들, 선교사들과 예술가들 그리고 대를 이어 삶의 터전을 지켜온 주민들의 아름다운 이야기들과 그들이 활동한 공간 등 근대문화유산들을 문화콘텐츠로 가꾸어갈 모임이라고 한다. 이러한 인문적 네트워크를 통해 우리의 문화유산은 재발견된다. 이들의 활동에 기대를 거는 이유이다

- 〈무등일보〉, 2014. 2. 11.

역사문화공간, 양림에서 길을 묻다

　봄바람이 살랑대던 2월 마지막 날, 근대문화유산의 보고 양림동을 찾았다. 호남신학교 교내에 위치한 우월순 선교사 사택으로 가는 길이다. 광주에 남아 있는 가장 오래된 서양식 건축물로 알려져 있지만 평소에는 늘 문이 잠겨 있어서 집 안이 궁금했던 터였다. 학교측의 도움으로 내부 모습을 볼 수 있었다. 그러나 1, 2층에 걸려 있는 선교 시절 사진 몇 장으로 1920년대 당시의 채취를 맛보기에는 상상력의 빈곤을 느꼈다. 그런데 다락방과 같은 3층으로 올라가자 마치 『안네의 일기』에 등장함직한 비밀스런 공간이 나타나 어떤 용도였을까 궁금증을 증폭시켰다. 동시에 비슷한 연대에 건축된 최승효 가옥의 다락방과 겹쳐져 흥미로웠다.

　최승효 가옥은 이장우 가옥과 더불어 양림동의 대표적인 전통 건축물이다. 이곳은 독립운동가 최상현의 후손인 최승효의 가족이 거주하는 공간이기 때문에 일반인의 출입이 어렵다. 그러나 내부로 들어가 아름다운 정원과 작은 야외공연장을 지나 집 뒤 후원에 서자 탁 트인 시야로 무등산이 한눈에 들어왔다. 무등산의 늠름한 자태에 탄성이 절로 나온다. 그런데 이 가옥에는 은신공간이 있었으니 일제하 독립운동가들을 피신시켰던 장소인 다락방이 존재했던 것이다.

2008년부터 역사문화마을 관광자원화 사업이 진행되고 있는 양림동은 이와 같이 근대와 전통이 사이좋게 공존하고 있다.

개화기 선교사들에 의해 광주선교의 전초기지로서 근대문물을 가장 먼저 수용했지만 양파정과 전통 한옥을 중심으로 이전부터 존재해온 문화적 전통은 양림산과 사직산 등 자연공간과 융합하면서 이질적인 두 문화가 대립하지 않고 양림동만의 독특한 분위기를 이루고 있다.

이러한 문화와 역사의 숨결이 배어 있는 곳에서 예술가들이 하나 둘씩 배출되면서 예술의 향기까지 더해져 복합적인 이미지를 형성한다. 정율성, 정추, 김현승, 이수복, 문순태, 배동신 등 예술계의 빛나는 별들이 이곳을 태생지로 삼거나 거쳐갔다.

예컨대 비운의 천재 음악가로 알려진 정추는 외할아버지 집인 이장우 가옥에서 피아노를 치면서 어린 시절을 보냈다. 그는 이 한옥에 들락거린 많은 예술가들을 통해 예술적 감성을 키워 나갔다. 그때 발견된 음악적 재능은 결국 그의 삶의 결정적 변곡점을 이룬 것이다.

양림동의 근대문화유산과 문화적 환경이 지닌 가치는 인간의 삶을 담아내는 그릇으로서 건축물의 소중함을 느끼게 한다.

우리는 이러한 건축을 통해서 그 건축이 지어졌던 당시의 사회적 풍속과 문화를 알 수 있다. 건축은 시대의 문화적 소산인 셈이다.

오늘날 양림동을 보석처럼 만드는 건축물들, 서양 건축물이나 전통 건축물은 언제나 그 시대의 빛나는 정신으로 충만해 있다. 그러나 앞으로의 과제는 이 역사문화공간들을 광주가 자랑할 만한 문화관광 콘텐츠로 육성하려면 문화예술을 통해 그 가치가 지속적으로 확산되어야 한다는 점이다.

그러한 맥락에서 이 근대문화유산의 거점공간에서 공간과 어울리는 프로그램들, 공연과 전시 시낭송회 등을 상설개최한다면 가장 매력적인 문화관광 코스가 될 것이다.

1914년 건립된 지역 최초의 공연장으로서 첫 서양음악회를 열었던 오웬 기념각이나 우월순 선교사 사택에서 다양한 음악회를 개최하고 이장우 가옥이나 최승효 가옥에서는 무등산을 배경으로 판소리나 해금, 가야금 등 전통국악공연을 펼친다면 얼마나 감동적인 무대가 될까 상상만 해도 가슴이 뛴다.

더군다나 세계적인 피아니스트로 한 시대를 풍미했던 한동일 선생이 귀국하여 양림동에 둥지를 틀었다. 그는 지금이 인생에서 제일 행복한 시기이며 광주에서의 느긋한 삶을 사랑한다고 말한다. 그리고 남은 인생은 음악으로 많은 사람들에게 위로를 주고 싶어한다.

양림동의 근대문화유산들은 어쩌면 그에게 어울리는 환상적인 공연장이다. 다만 굳게 닫혀 있는 공연장의 문을 활짝 여는 일이 남아있다.

– 〈전남일보〉, 2013. 3. 8.

내 마음속의 무등산

    마치 지문처럼 무등산에 얽힌 추억 하나쯤 가슴속에 각인되어 있는 사람이 많을 것이다. 무등산 자락에서 솟아오르는 태양을 보며 하루를 맞이하고 있으니 무등산이 마음 한가운데로, 우리 삶 속에 들어온 것은 당연하리라. 무등산은 언제나 그렇게 변하지 않는 모습 그대로 우리에게 말없는 교훈을 주고 있다. 내게 역사의 아픔 속으로 걸어 들어가게 한 첫 지점도 다름 아닌 무등산이었다.

    1978년 10월이었다. 동맹휴학으로 대학가가 어수선했던 시절 내가 속한 대학 동아리는 무등산으로 1박 2일 수련회를 갔다. 지금은 철거된 중머리재 아래턱에 있던 샘터 대피소에 여장을 풀었다. 밤새 뜬눈으로 답답한 현실에 대한 격론을 하던 중 어둠은 벗겨지고 여명을 맞게 된 우리 일행은 중머리재로 올라갔다. 늦가을 새벽 찬공기가 술이 덜 깬 몽롱한 정신을 사정없이 흔들어 깨우고 우리는 풋풋한 스무 살 청춘을 만끽했다. 그때 무등산은 한없이 따뜻한 어머니 품으로 광주를 껴안고 있었다.

    그런데 그날 밤 전혀 예기치 못한 사건이 터지고 말았다. 서광주 경찰서(지금의 서부경찰서) 정보과에 영문도 모른 채 연행된 것이다. 취조를 받으면서 사건의 전말을 알게 되었다. 교내에 동맹휴학을 선동한 유인물이 살포되었는데 그걸 우리 동아리가 무등산대피소에서 모의한 후 실행했다는 혐의였다. 유신 말기의 학원사찰이 빚은 씁쓸한 에피소드였지만 이 '무등산대피소 사건'은 대학 1학년생을 시대정신과 역사의식에 눈뜨게 만드는 결정적 계기가 되었고 2년 후 광주민중항쟁 참여로 이끈 원동력이 되었다.

역사란 개인적 삶의 총화이듯이 무등산의 역사도 그렇다.

무등산이 가지고 있는 역사와 문화적 가치는 단순히 과거에 머무는 이야기에 그치지 않고 오늘의 우리를 돌아보게 한다. 그 무한한 가치는 법고창신의 정신을 통해 늘 새롭게 확대재생산 되고 있다.

그러한 맥락에서 선현들이 바라본 무등의 모습, 무등산에 관한 기록물들은 소중한 우리의 문화원형이자 문화콘텐츠다.

그중 가장 방대한 유산기(遊山記)이자 뛰어난 산문정신으로 빛나는 『유서석록(遊瑞石錄)』은 단연 압권이다. 이 산행기는 제봉 고경명 선생이 1574년 4월 20일부터 24일까지 4박 5일간 당시 광주목사 임훈 일행과 함께 무등산에 올라가 느낀 감상을 일기체로 기록한 기행문이다. 이 유산기는 "언제나 우뚝 솟아 움직이지 않고 의연한 것은 산이요, 모였다가 흩어지기 쉬운 것은 사람이다."고 적고 있다. 제봉 선생의 마음가짐을 엿볼 수 있는 대목이다.

그때 일행 중에는 서하당 김성원도 있었다. 그런데 그의 문집 『서하당유고』에 실린 목판화 「성산계류탁열도」는 작년 광주문화재단에 의해 당시 풍류 모습이 재현되었다.

학문과 자기수양에 힘썼던 조선 선비들이 환벽당 아래 성산계류에서 시회를 즐겼던 모습은 무등산 일대의 소중한 역사유산이므로 오늘에 되살려 문화관광콘텐츠로 만든 것이다. 이 재현행사는 상설 프로그램화 되었고 올해는 '유서석록'도 재현할 생각이다. 제봉 선생과 광주목사(오늘날 시장) 일행이 등산한 코스대로 4박 5일간 산행체험을 하게 된다. 화가, 시인, 사진작가 등 예술가들도 참여해 무등산이 안겨주는 예술적 영감을 통해 아름다운 작품이 탄생할 것으로 기대한다.

오늘날 전해지는 무등산 유산기 중에는 다산 정약용의 기행문과 시도 있는데 무등산은 너무 지극한 덕이 깊어서 분별하기도 어렵다고 표현하고 있다. 당시 17세 다산에게 무등산은 너무 높은 경지의 산이어서 어떻게 등급을 매길 수 없었던 모양이다.

우리 역사에 큰 족적을 남긴 선현들로부터 의연한 산으로 또는 덕이 깊은 산으로 여겨졌던 무등산. 최근 국립공원으로 승격된 사실은 광주시민의 자존감을 우뚝 세운 것과 같다. 앞으로 이 진산을 품격 있게 가꾸어서 대표적인 광주의 문화관광콘텐츠로 만드는 일은 우리 지역공동체의 몫이다.

— 〈전남일보〉, 2013. 1. 25.

문화도시를 이끄는 창의적 문화공간

눈 속에 파묻힌 한라산에 올라 대자연의 황홀경에 빠지고 싶은 계절이다. 그곳에서는 세속을 뛰어넘는 진정한 자유와 평화의 기운을 느낄 수 있으리라. 그런데 20년 동안이나 제주도의 자연에 몰입하면서 예술을 위해 순교자와 같은 삶을 자처한 사진작가가 있었다. 김영갑이다. 그는 가난과 고독, 그리고 루게릭병과 싸우면서 작가정신을 올곧게 지켜왔다. 그 결과 그는 우리 곁을 떠났지만 그가 만든 사진갤러리는 제주의 명소로 자리 잡아 오늘도 관광객들을 맞이하고 있다. '김영갑 갤러리 두모악'. 이곳은 김영갑의 손길이 닿기 전에는 초등학교 폐교에 불과했다. 한 예술가가 영혼의 숨결을 불어넣자 그냥 방치되어 있던 공간이 상설전시관과 아름다운 정원으로 재탄생된 것이다.

쓸모없이 버려진 공간을 예술적 향취 가득한 매력적인 문화공간으로 탈바꿈시킨 사례들이 관심을 끌고 있다.

원도심 활성화를 위해 예술가들이 하나둘씩 빈 사무실에 입주하면서 도심재생의 성공사례가 된 부산의 '또따또가', 근대 개항기 건축물의 역사성과 장소성을 살려 현대적으로 재해석한 '인천 아트 플랫폼'은 벤치마킹의 대상이 된 지 오래다. 최근에는 사람들이 거의 다니지 않는 폐골목을 예술촌 공간으로 조성한 창원의 '마산 창동 예술촌'이나 실제 여인숙을 리모델링을 통해 창의적인 창작공간과 전시공간으로 탈바꿈한 군산의 창작문화공간 '여인숙'이 주목을 받고 있다.

문화도시가 많은 유럽의 문화공간들은 새로 지은 현대식 건물이 아니라 과거 산업화 현장이었지만 시대의 변화로 버려진 공간을 리모델링하여 새로운 문화공간으로 변화시킨 곳이 많다.

영국이 자랑하는 '테이트모던 갤러리'는 원래 화력발전소 건물이었다. 그런데 굴뚝이 우뚝 선 발전소 모습을 그대로 유지하면서 내부를 갤러리로 재탄생시킨 것은 허무는 것만이 능사가 아님을 웅변하고 있다.

중국의 대표적 미술창작공간인 북경 '따산즈 798'도 폐허로 방치되어 있던 군수공장을 가난한 예술가들이 무상으로 임대하여 사용하기 시작하면서 창작공간의 역사가 이루어졌다.

예술가들의 영혼이 폐허 속에서 창의적 문화공간을 발견하고 그 도시를 마침내 문화도시로 변화시켜가는 현장을 얼마 전 중국에서 확인할 수 있었다.

상해와 심천을 갔는데 빠른 속도로 성취한 경제성장에 힘입어 도시 곳곳에 창의예술단지를 조성하고 있었다. 지방정부에서 창의예술산업에 대한 대대적인 투자와 지속적인 전문인력 양성의 결과로 보여진다. 중국의 전통산업 즉 방직공장이나 조선소, 기계산업 등이 사양산업이 되자 그 공장이나 창고들을 도심재개발 프로젝트를 통해 창의예술단지로 재탄생시킨 것이다. 북경의 따산즈798예술단지와 비교되는 상해의 'M50 창의예술단지', 방직공장터에 국제패션센터가 들어선 상해 '양포구 도심재개발 프로젝트', 디자인 업체가 집중 입주한 '8호교 창의단지', 그리고 공장지역을 디자인 단지로 개조한 '심천 디자인 파크' 등이다.

이들 지역을 돌아보면서 나는 대인예술시장의 가치에 대해서 다시 생각한다. 이곳에는 40여 명의 작가들이 상주하여 노후된 시장 건물이나 비어 있는 상가를 예술이 살아 숨쉬는 공간으로 바꾸었다. 재래시장과 예술이 공존하는 셈이다. 이들은 시장이라는 독특한 장소적 특성을 최대한 활용하여 저녁에는 예술상품을 파는 예술야시장을 열었다. 또한 시장 골목을 갤러리로 꾸미고 공동작업장인 예술 공장을 통해 상인들의 삶의 흔적을 예술로 승화시키는 작업도 했다.

대인시장 내에 문화예술이 생산되고 소비되고 유통되는 문화생태계를 만든 것이다.

따라서 대인예술시장은 앞으로 문화도시 광주를 견인하는 상징적 문화공간이 될 가능성이 매우 높다. 정책적 지원의 확대로 더 많은 작가들이 입주하여 예술의 혼을 불어넣는다면 북경의 '따산스 798'이나 상해의 'M50 창의단지'와 같이 아시아를 대표하는 창의적 문화공간으로 우뚝 설 날이 오리라 확신한다.

- 〈무등일보〉, 2012. 12. 14.

무등산과 스토리텔링의 힘

　광주사람에게 무등산은 각별하다. 스스럼없이 어머니와 같은 산이라고 부른다. 기실 빛고을은 무등산의 기운과 함께 성장해온 터이다. 무등산에는 그러므로 광주의 역사와 문화가 고스란히 스며있다. 사림정신으로 무장한 대쪽같은 선비의 모습으로 혹은 시가문학으로 빛나는 예향의 진산으로서 때로는 항일의병과 학생독립운동의 치열한 터전으로 자리매김했다. 그리고 마침내 격동의 80년에는 김준태 시인의 절창처럼 "죽음으로써 삶을 찾으려 했던 우리들의 영원한 청춘의 도시" 광주는 무등산과 동의어로 각인되었다. 시대의 고비마다 광주가 역사의 아픔을 딛고 일어설 수 있는 힘의 원천은 무등산에서 비롯된 셈이다.

　그런데 무등산과 더불어 동거동락해온 광주시민들이지만 무등산의 실체를 얼마나 알고 있을까. 반세기를 넘게 무등산과 깊은 인연을 맺어온 박선홍 선생조차 팔순을 넘어서야 무등산이 보인다고 겸손해한다. 너무 가까이 곁에 두고 있기 때문에 실상 그 깊은 데까지는 잘 모르고 있는 것이다. 우리에게 무등산은 그만큼 광대무변한 대서사시로 남아 있다.

며칠 전 찜통더위 속에서 조선시대 선비 복장을 한 사람들이 무등산 자락 환벽당 앞 계곡에 모여 흐르는 물에 발을 담그며 풍류를 즐기는 모습을 연출했다. 1590년 11명의 옛 선비들이 성산계류에 모여 더위를 식히며 시회를 열었던 장면인데 김성원의 『서하당유고』에 전해오는 「성산계류탁열도」 재현행사다. 이어 소쇄원에서는 하서 김인후의 '소쇄원 48영' 중 재현 가능한 16가지가 구현됐다.

　이 선비들의 여름나기 행사를 주최한 광주문화재단에서는 '무등산의 사계'라는 문화관광 상설 프로그램을 운영하고 있다. 봄에는 무등산의 특산인 춘설차를 채다하여 차를 만들었고 가을에는 면앙정 송순의 회방연에서 이뤄진 제자들의 선행을 정조 임금이 과거 제목으로 삼아 펼쳤던 광주목 과거시험을 재현할 예정이고 겨울에는 충장공 김덕령의 생애를 이야기하는 무등산 이야기꾼을 발굴할 생각이다. 결국 '무등산의 사계'는 무등산 곳곳에 산재돼 있는 역사적 공간에 이야기라는 옷을 입히는 스토리텔링작업을 거쳐 무등산 아래 살아온 광주사람의 삶과 문화를 새롭게 조명하고 이를 문화관광상품화 하려는 시도이다.

　이제 우리는 스토리가 스펙을 앞서는 세상에 살고 있다. 단순하고 평면적인 스펙의 나열은 별 매력이 없게 되었다. 차별화 없는 스펙보다는 자신만의 치열하고도 진정성 있는 이야기나 보석같은 흥미로운 이야기를 갖고있는 사람이 우대받는 세상이다. 코펜하겐 미래학 연구소의 롤프 옌센(Rolf Jensen) 소장은 정보화 사회 다음에 도달할 사회는 '드림 소사이어티'라고 단언한 바 있다. '드림 소사이어티'란 이야기를 생산품처럼 만들어내는 사회를 말한다. 그는 기업과 시장을 주도하려면 이야기꾼(스토리텔러)이 되어야 한다고 말했는데 그의 예언은 그대로 적중했다. 현재 세계 경제를 좌우하고 있는 CEO들은 강력한 스토리텔링 능력으로 자기 기업을 최정상의 위치로 세웠다. 그들은 또한 인문고전 독서로 끊임없이 두뇌를 단련하고 있다.

스토리텔링의 중요성은 최근 내한하여 '미래형 테마파크 성공전략 국제 세미나'에 참가한 글로벌 설계디자인 회사인 커닝햄그룹의 짐 샤이델 회장의 발언에 의해서도 확인된다. 그는 세계적 테마파크인 미국 LA와 홍콩 디즈니랜드, 유니버셜 스튜디오를 디자인하여 성공시킨 인물이다. 그는 미국의 문화상품을 모방한 테마파크로는 관광객을 끌어들이기 어렵다고 지적한다. 과도한 투자보다는 세계 어느 곳에서도 찾을 수 없는 한국만의 독특하고 개성 있는 스토리텔링만이 성공의 지름길이라고 주문한다.

무등산의 창조적 개발은 스토리텔링을 통해서 성취될 수 있다. 가령 무등산의 영웅 김덕령에 관한 여러 설화들을 중심으로 광주의 꿈과 감성이 녹아 있는 이야기를 만들어 연극, 뮤지컬, 드라마, 영화, 만화 등 다양한 서사적 장르의 문화콘텐츠를 만들 수 있다. '무등산의 사계' 프로그램은 다름아닌 광주만의 이야기, 광주만의 킬러콘텐츠를 만들기 위한 과정이다.

– 〈무등일보〉, 2012. 7. 27.

광주프린지페스티벌,
광주의 정체성을 담아라!

지난 4월에 시작한 '광주프린지페스티벌'(이하 페스티벌)이 12월 1일 시상식을 끝으로 8개월의 대장정을 마무리했다. 광주시는 그동안 공연부문 369개 단체와 체험프로그램 부문 380개 단체가 페스티벌에 참여했고 연인원 29만여 명이 관람했다고 밝혔다.

국립아시아문화전당 주변을 활성화하기 위해 올해 처음 개최한 행사임을 감안한다면 성공적이었다고 말할 수 있을 것이다. 이 페스티벌이 가능성을 확인한 요인은 광주시의 대대적인 홍보와 매달 격주 토요일 개최라는 정기적 행사, 5·18민주광장과 금남로라는 행사장에 대한 높은 접근성, 동아리 등 아마추어 예술단체에까지 공연무대를 제공한 점 등이다.

시상식에 이어 열린 정책토론회에서도 이러한 점이 확인되었다. 아울러 이 페스티벌이 문화전당에 가졌던 시민들의 기대치에 대한 대체재로서의 역할, 시민들에게 다양한 예술향유 기회 제공, 전문 예술단체와 아마추어를 아우르는 도심 속 거리축제로서 역할을 했다고 평가했다.

그러나 이 페스티벌을 두고 벌써부터 지역을 대표하는 브랜드

축제라고 성급하게 규정짓는 태도는 문제가 있다. 도시의 대표축제는 그 도시의 정체성이 축제의 목표와 운영과정 그리고 프로그램 안에 잘 녹아 있어서 시민들의 공감대를 형성했을 때 자연스럽게 불러지는 타이틀이다. 더군다나 축제의 공간이 갖고 있는 장소성과 역사성은 광주의 정체성이 가장 잘 발현되어야 할 공간이다.

5·18민주광장과 금남로는 명실상부한 민주·인권·평화 정신의 산실이다. 따라서 페스티벌을 처음 기획할 때부터 이러한 정신의 가치가 전체 프로그램의 중심 맥락을 형성하도록 구성했어야 했다.

그런데 페스티벌은 다채로운 공연과 체험 프로그램으로 가득했지만 광주의 정체성이 표출되는 주제의식을 찾기가 힘들었다. 주최측의 자료에 나타난 페스티벌의 기본목적을 보더라도 광주의 정신이 보이지 않는다. 관광명소를 조성하고 문화중심도시 위상을 정립하며 문화도시 공동체를 구성하겠다는 지극히 일반적인 서술만 하고 있을 뿐이다.

광주가 벤치마킹했다는 세계적인 프린지 페스티벌인 스코틀랜드의 에딘버러 프린지 페스티벌 탄생 배경을 보면, 페스티벌을 도시정체성과 연계해서 도시를 활력 있게 만들고 도시의 고유 특성을 증진하려는 전략이 담겨 있다. 2차 세계대전 직후인 1947년 전쟁의 상흔을 극복하고 활력을 되찾자는 시민들의 공감대 속에서 출발했던 터이다. 에딘버러에는 프린지 페스티벌뿐 아니라 국제 페스티벌, 군악대 페스티벌, 국제 책 축제 등 여러 페스티벌이 연중 열리고 있다. 이러한 각종 페스티벌은 지역의 공동체 발전에 중요한 역할을 담당한다. 무엇보다 에딘버러에 대한 주민의 자긍심과 정체성을 고취시켰다. 더불어 지역경제를 견인하면서 유럽의 대표적인 축제 중심 창조도시로 자리매김한 원동력이 된 것이다.

에딘버러 프린지 페스티벌은 시작 당시부터 지켜오는 세 가지 원칙이 있는데 첫째가 공연자를 초청하지 않는다는 점이다. 에딘버러 프린지에는 누구나 참가하고 아무런 제약도 없지만 스스로 책임을 져야 하는 구조다. 하향식이 아닌 참가자 스스로 문제를 해결하는 자발적 상향식 운영방식, 즉 자생성이 에딘버러 프린지 페스티벌의 정체성인 것이다.

광주프린지페스티벌은 문화전당 주변을 활성화하기 위한 목적으로 제안되었다. 문화전당은 민주·인권·평화의 정신을 문화로 승화하기 위한 터전이면서 전당에서 생산된 창조적 에너지를 아시아와 광주 전역으로 확산하고 재창조하는 문화발전소이다. 그런데 개관 1년이 지난 지금 전당의 현주소는 이러한 역할을 감당하기 어려운 시스템으로 정착되었다. 그래서 광주의 가치와 정신은 외면한 채 보여주기 식의 프로그램이 주류를 형성하고 있는 이유이다.

광주프린지페스티벌이 지속가능한 광주의 브랜드축제로 발전되기 위해서는 무엇보다도 전당이 하지 못하지만 그러나 광주에서만 볼 수 있는 프로그램, 즉 광주의 정체성이 생동감 있게 살아 있는 프로그램으로 특화해야 한다.

에딘버러에서 시작된 프린지 역사는 국제페스티벌에 초청받지 못한 작은 단체들이 축제의 주변부(프린지)에서 자생적으로 공연하면서 시작된 것인데 바로 이러한 자생성이 독창적이고 참신한 형식을 만들면서 관객과 언론의 주목을 끌게 되었다. 또한 우리나라 프린지페스티벌의 효시인 서울프린지페스티벌이 19년째 생명력을 유지하고 있는 비결도 자유참가 원칙을 지키면서 예술가의 창의성과 독립성을 존중하는 실험적인 무대를 제공해왔기 때문에 가능했다.

에딘버러의 자생성과 서울의 독립성은 그들의 정체성이다. 광주는 무엇을 내세울 것인가? 어느 축제장에서나 볼 수 있는 평범함으로는 차별화가 될 수 없다. 광주의 정체성은 강조하지만 민주·인권·평화의 정신이다. 이러한 정신과 가치를 어떻게 예술로 풀어갈 것인가를 광주프린지페스티벌은 고민해야 한다.

– 지역문화교류재단 계간 『창』 Vol. 37, 2016. 12.

위로와 감동을 주는 예술

국립아시아문화전당 예술극장의 개관 페스티벌이 끝날 무렵, 지역예술단체의 연주회를 찾았다. 아르스 필하모니의 '모차르트를 즐기다'라는 솔직담백한 타이틀이 발걸음을 끌어당겼다. 그러나 속내는 예술극장의 개관 작품에서 채우지 못한 어떤 헛헛함이 컸음을 숨길 수 없다.

9월 초부터 3주 동안 "전 세계의 오늘을 이야기하는 가장 진취적인 작품"이며 "우리나라의 예술 영역에서 구상된 가장 큰 꿈"이라고 선언한 국제적 프로젝트 아래 기획 제작된 작품 몇 편을 관람했다. 예상대로 파격과 충격을 주는 실험적 작품들이 눈에 띄었다. 일부 공연전문가들은 이 작품들을 예술성이 높다고 평을 했다. 그러나 일반 관객의 눈높이에서는 그저 난해한 작품일 뿐이었다. 대만의 차이밍량 감독 작품 「당나라 승려」에서는 공연 도중에 뛰쳐나가는 관객이 여럿 있었다. 감독의 의도였던 철학적이고 종교적인 깨달음의 경지를 알지 못한 무지의 소산이었을까? 공연을 보는 자체가 고역이어서 벼르고 벼르다가 스스로 퇴장을 결행한 것은 아닐까?

나는 위로받고 싶었다. 컨템포러리 아트는 이런 것이다며 가르치고 질문하고 고민하게 하는 프레임에서 벗어나고 싶었다. 이성보다는 감성에 호소하는 가슴 뭉클한 음악을 통해 연주자들과 교감하고 더 나아가 감동이라는 접점을 느끼고 싶었던 것이다.

연주회 하이라이트는 모차르트 「피아노 협주곡 20번 D단조」였다. 이 곡은 모차르트가 생활이 가장 궁핍했던 시절에 작곡된 작품이다. 빈 궁정음악가에서 프리랜서로 독립하면서 쪼들리던 시절에 가족의 빵을 사기 위해 쓴 곡이다. 그럼에도 불구하고 보석처럼 아름다우면서도 슬픈 걸작이 탄생하여 오늘도 전 세계인에게 감동을 주고 있다.

예술의 힘은 위로와 감동에서 나온다고 믿는다. 정규 음악교육을 한 번도 받지 않았지만 20세기 최고의 여성 알토로 추앙받는 마리안 앤더슨(Marian Anderson)은 그 어떤 음악가들보다 감동적인 음악으로 우리의 삶을 위로해 주고 있다. 그녀는 콘서트마다 꼭 흑인 영가(靈歌)를 불렀다. 영가에는 흑인들의 잊을 수 없는 고통과 슬픔이 담겨 있기 때문이었다. 그녀의 목소리는 지금도 지치고 상처받은 영혼들을 위로하는 천상의 소리로 존재하고 있다.

나는 현존하는 클래식 음악계에서 감동의 결정판을 서동시집(西東詩集) 오케스트라에서 본다. 세계적인 유대인 지휘자 다니엘 바렌보임(Daniel Barenboim)과 그에게 음악적으로, 정치적으로 지대한 영향을 끼친 팔레스타인 출신 석학 에드워드 사이드(Edward W. Said)가 의기투합해 만든 페스티벌 오케스트라다. 단원들은 이스라엘과 중동 지역 이슬람 청소년 연주자들이다. 이들의 가장 드라마틱한 순간은 2005년 8월 아랍과 이스라엘이 가장 첨예하게 대립하고 있는 화약고인 팔레스타인 자치지구 임시수도 라말라에서 이뤄졌다. 바렌보임이 2년 전, 백혈병으로 사망한 에드워드 사이드의 유지를 받들어 성사시켰지만 단원들의 안전을 보장할 수 없어 참여를 강요하지 않았음에도 한 사람도 빠짐없이 모두 라말라에 자발적으로 입성해서 감동적인 연주를 마쳤다.

라말라 콘서트는 우리에게 예술의 존재이유에 대해 성찰하게 만든다. '예술은 인류의 평화와 화해를 위해 적극적으로 자신의 의견을 표현할 수 있는 무기다'라고. 더 나아가 '사람의 마음을 감동시키는 힘'이라고 말한다.

추석 연휴가 끝나고 일상으로 돌아왔다. 추석 명절은 고향에서 가족 간에 끈끈한 사랑과 위로를 나누는 가장 인간적인 연례행사다. 그런데 명절 때마다 독버섯처럼 발생하는 반인륜적인 가정폭력 사태는 왜 멈추지 않은 것일까?

오늘따라 라말라 콘서트에서 바렌보임이 관객들에게 했다는 이야기가 큰 울림으로 다가온다.

"우리의 음악이 지금 당장 이 땅에 평화를 가져다줄 수 없다는 것은 나도 알고 여러분도 압니다. 오늘 우리의 연주가 갖는 가장 중요한 의미는 서로의 소리에 귀를 기울이려는 노력, 그것을 통해 서로를 이해하려는 시도에 있는 것입니다."

- 〈전남일보〉, 2015. 9. 30.

풍암호수 음악축제를 꿈꾸면서

유럽의 여름은 페스티벌의 계절이다. 세계적으로 가장 유명한 음악축제인 잘츠부르크 페스티벌과 바이로이트 페스티벌도 7월과 8월에 걸쳐서 열리고 있다. '지구상에서 가장 큰 예술축제'로 기네스북에 올라 있는 스코틀랜드 에딘버러 프린지 페스티벌도 8월에 시작한다. 유럽 어느 도시를 가든지 크고 작은 축제가 열리고 있다고 보면 된다.

그런데 야외에서 개최하는 음악축제 가운데 가장 특별한 축제를 꼽으라면 '브레겐츠 페스티벌'을 말하는 사람들이 많다. 1945년부터 세계 최초의 호상(湖上) 오페라축제가 열리고 있기 때문이다. 오스트리아 구석의 깊은 산속 호수 위에서 한 달 동안 펼쳐지는 오페라를 보기 위해서 20만 명 이상의 여행객이 몰려든다. 도시 인구가 3만 명인데 하루 관람객이 7천 명이란다.

알프스 산자락에는 빙하가 녹았던 자리마다 큰 호수가 생긴다. 브레겐츠 페스티벌의 무대인 보덴 호수도 그렇게 만들어졌다.

무대는 호수 가운데 떠 있다. 그리고 상상을 뛰어넘는 파격적인 무대 세트는 처음부터 관객의 입을 벌어지게 만든다. 그러나 브레겐츠의 감동은 단지 웅장한 무대장치와 빈 심포니 오케스트라의 아름다운 연주에만 있는 것이 아니다. 대자연의 오묘한 섭리에도 있다. 저무는 해가 하늘과 호수를 붉게 물들일 무렵, 새하얀 조명이 들어와 밤하늘의 별빛과 어우러지는 모습은 환상적이다.

브레겐츠 페스티벌은 2년마다 새로운 작품을 선보이는데 7월 25일 열리는 올해의 작품은 푸치니의 마지막 오페라 「투란도트」다. 2003년 중국 장예모 감독의 연출로 상암 월드컵경기장에서 화려함의 극치를 보여준 무대가 브레겐츠에서는 어떤 놀라움을 선사할지 기대된다. 그런데 요즘엔 이곳을 가지 않고도 영화관의 라이브 중계를 통해서 생생하게 즐길 수 있는 세상이 되었으니 그 기대감은 클 수밖에 없다.

브레겐츠 페스티벌을 생각하면서 서구의 풍암호수를 떠올렸다. 풍암호수는 광주에서 가장 멋진 공간 가운데 하나이다. 탁 트인 넓은 호수를 끼고 산책로가 조성되어 있어서 아무 때나 찾을 수 있는 정겨운 공원이다. 광주에서 이만큼 아름다운 풍경을 갖고 있는 호수공원이 또 있을까?

특히 황혼 무렵의 호수 풍경은 압권이다. 시시각각 변하는 물위를 보고 있으면 자연의 경이로움을 느끼게 된다. 그 자연 속에서 인간이 만들어낸 환상적인 음악에 흠뻑 빠져보고 싶다.

풍암호수 음악축제를 제안한다. 휴가철이 시작되는 7월 말이나 8월에 열흘 동안이라도. 작은 음악회가 열리는 장소에 무대와 관람석을 키워서 클래식 음악제를 여는 것이다. 클래식이 무엇인가. 우리의 영혼을 더 깊고 넓게 만들어주는 음악이다. 어려운 고급음악이 아니라 오랜 세월 동안 인류의 사랑을 받아온 문화유산이다. 특히 청소년들에게는 반드시 필요한 영혼의 비타민 같은 것이다. 학과 공부와 사교육에 찌든 우리 학생들은 정신적으로 방황하면서 편협 되고 획일화된 문화에만 익숙하다. 이 아이들에게 생명력 있는 영혼의 향기를 불어넣어 주어야 한다. 클래식 음악과 가깝게 지내는 것이 올바른 인격 형성에 도움이 된다는 것은 잘 알려진 사실이다.

광주에도 여기저기서 축제들이 열리고 있다. 그러나 여름에 호숫가에서 야외 클래식 축제를 하는 곳은 없다. 아름다운 풍암 호수 공원에서 가족 음악회 같은 아주 특별한 음악회를 열어서 '광주의 브레겐츠 음악축제'로 키워 보면 어떨까?

– 〈으뜸서구소식〉, 2015. 8.

「핀란디아 찬가」와
「님을 위한 행진곡」

　세계 최정상의 오케스트라 베를린 필하모닉은 매년 5월 1일에 아주 특별한 음악회를 개최한다. 유럽의 주요 도시를 순회하며 연주하는 '베를린 필하모닉 유로파 콘서트'가 그것이다. 이 음악회는 1991년에 시작되었는데 그동안 프라하, 마드리드, 런던, 베를린 등을 거쳐 올해는 그리스 아테네 메가론 콘서트홀에서 연주되었다. 주목할 점은 라이브로 전 세계에 생중계된다는 사실이다. 유럽사회의 공동의 유산을 축하하기 위해 중간 휴식시간에는 아테네가 자랑하는 문화유산이 영상으로 소개되었다. 클래식 공연과 유럽의 명승지가 한데 어울려 그들의 문화적 품격을 말해 주는 듯했다.

　프로그램 가운데 올해 탄생 150주년이 되는 장 시벨리우스의 바이올린 협주곡이 눈에 띄었다. 교향시 「핀란디아」로 널리 알려진 시벨리우스는 조국 핀란드의 민족정신을 드높인 작곡가로서 오늘날에도 국보급 음악가로 추앙받고 있다. 러시아의 통치 아래서 젊은 시절을 보낸 그가 음악으로 핀란드 국민에게 위안과 용기를 불어넣었기 때문이다.

　그런데 「핀란디아」가 러시아가 두려워한 금지곡이었다는 사실을 아는가? 「핀란디아」는 원래 핀란드의 역사적 사건을 그린 연극 작품을 위한 음악이었다. 「핀란드 깨어나다」란 곡인데 수정을 거쳐 이듬해인 1900년에 교향시 「핀란디아」로 재탄생되었다. 당시 러시아의 압정이 극에 달하자 독립운동이 일어나면서 「핀란디아」는 애국심을 고취하는 음악으로 널리 퍼져나갔다. 그러자 러시아는 이 곡의 연주를 막는 금지령을 내렸던 것이다.

「핀란디아」는 참혹했던 핀란드 역사의 산물이다. 이 음악을 들으면 러시아의 압제에 저항하는 핀란드인들의 피맺힌 절규가 느껴진다. 시벨리우스는 가혹했던 조국의 운명을 한 편의 교향시에 담아냄으로써 온 국민의 영웅이 되었다. 핀란드 정부가 직접 나서서 영웅에 걸맞는 대접을 해 준 것이다.

시벨리우스의 「핀란디아」를 생각하면서 우리의 「님을 위한 행진곡」이 오버랩된다. 국가보훈처가 올해도 이 노래의 제창 요구를 거부하여 5·18 민주화운동 35주년 기념식 파행이 우려되기 때문이다.

「님을 위한 행진곡」이 어떤 노래인가? 이 느린 단조의 행진곡풍 음악은 어느덧 5·18민주화운동의 주제곡이 된 지 오래다. 어떤 이들에게는 애국가를 대신해서 부르는 노래이며 영혼을 일깨우는 저항의 노래이기도 하다. 민중가요가 운동권을 벗어나 대중적으로 알려지게 된 계기가 되었다는 평을 듣기도 한다.

5·18민주화운동 기록물이 유네스코 세계기록유산이 된 지도 4년이 되었다.

5·18이 세계가 기억해야 할 문화유산이 되었고 「님을 위한 행진곡」은 5·18의 상징적인 대표곡이 된 지 오래임에도 5·18기념식에서 함께 부를 수 없다는 이 아이러니가 언제까지 계속되어야 하나?

클래식과 대중음악은 모두 당대 사회를 직접적으로 반영한다. 자국의 국민에게 위로와 용기를 준 두 음악에 대한 정부의 접근태도는 너무나 판이하다. 「핀란디아」의 일부 선율은 「핀란디아 찬가」가 되어 지금도 핀란드의 애국가처럼 불리고 있는데 대한민국 민주화운동의 상징적 노래인 「님을 위한 행진곡」은 5·18 기념곡으로 지정은 커녕 제창조차 거부당하는 초라한 모습이다.

그러나 나는 꿈꾼다. 언젠가, 봄날에 5·18 기념식에서 「님을 위한 행진곡」을 주제로 한 교향곡을 연주할 날을. 그리고 그 장면이 세계문화유산인 5·18기록물과 함께 전국으로 아시아로, 세계로 생중계될 날을.

– 〈시민의 소리〉, 2015. 5. 11.

문화송년회 어때요?

　이번에는 억새와 들국화로 무대를 꾸몄다. 한편에는 토크쇼 초대손님을 위한 탁자와 의자가 놓여 있다. 무대세트 기능을 하는 이 오브제들 위로 조명이 내리꽂히자 늦가을 정취가 뿜어져 나온다. 무대 뒤편 스크린에는 지역작가의 아름다운 영상그림들이 장면 장면을 돋보이게 하는 장치가 되고 있다. 매달 새로운 주제를 가지고 특색있는 무대를 만드는 「김원중 달거리」 공연 이야기다. 벌써 73번째라니. 6년이 넘게 가수 김원중은 지속적으로 관객과 만나고 있는 셈이다. 드맹 아트홀에서, 구 KBS 영상관에서 그리고 2011년부터는 지금의 빛고을시민문화관에서 북한 어린이를 위한 빵 만드는 공연, 「김원중의 달거리」는 계속되고 있는 것이다.

　지난 11월 공연이 열렸던 날, 밖에는 촉촉이 비가 내리고 있었다. 늦가을 밤비에 젖은 채 감성으로 충만된 발길은 메가박스 영화관으로 향한다. 「모던발레 채플린」을 보기 위해서다.

　요즈음 메가박스 스크린으로 품격 높은 클래식 영상을 보는 재미에 푹 빠져 있다. 오페라, 연극, 발레, 뮤지컬 등 다양한 공연콘텐츠를 대형화면의 생생한 영상과 사운드로 접하면 가슴이 먹먹해지는 감동을 느끼곤 한다. 올해 탄생 150주년을 맞은 리하르트 슈트라우스의 오페라 「장미의 기사」와 「아라벨라」, 전 세계 4백만 명 이상이 관람했다는 영국국립극장 제작 NT라이브 연극 「워 호스」, 런던 공연 실황을 담은 영국 웨스트엔드 최고의 뮤지컬 「빌리 엘리어트 뮤지컬 라이브」가 최근 관람한 작품들이다.

독일 라이프치히 발레단의 작품 「모던발레 채플린」은 찰리 채플린의 삶을 그린 발레극이다. 화려한 명성 뒤에 숨겨진 인간 채플린의 모습을 전통적 발레 형식을 탈피한 모던발레로 재탄생시켰다. 우리는 채플린을 그가 연기한 캐릭터 '리틀 트램프'의 모습으로 기억한다. 큰 구두와 헐렁한 바지, 우스꽝스러운 콧수염을 달고 진지한 표정으로 지팡이를 흔들며 거리를 누비는 광대 '리틀 트램프'는 그 자체로 채플린이었다. 그러나 채플린의 작품은 희극을 그리지만 가까이서 보면 비극이다. 파편화되고 도구화된 인간의 모습을 애잔하게 또는 관조적 슬픔으로 형상화하기 때문이다. 인간 채플린이 자신의 분신 같은 캐릭터 '트램프'를 슬픈 눈으로 응시하는 대목에서 채플린의 진정한 내면세계를 엿볼 수 있었다.

우리는 물질적 풍요의 시대에 살고 있음에도 정신적으로는 공허하다. 무엇이 옳고 그른지, 내가 살고 있는 이 세상이 진정 가치 있는 방향으로 흘러가고 있는지 확신이 없기 때문이다. 그래서 감정이 말라버린 사람들이 많다. 감정을 잘 느끼고 표현하는 것도, 다른 사람과 소통하는 것도 어려운 일이 되어버렸다.

그러나 느끼고 표현하는 능력인 감성능력을 살려야 한다. 희로애락을 느끼는 감정, 인지능력, 직관이나 영감 등이 다 감성이다. 이 감성은 예술가들에게만 필요한 것이 아니라 풍요로운 삶을 살기 위해서 우리 모두에게 필요한 능력이다. 감성능력이 회복되면 공감능력도 함께 성장한다. 예전에는 닫혀 있던 감각이 열리는 것이다.

예술이 왜 좋은가? 느끼는 힘, 감성능력을 키워주기 때문이다. 채플린은 "우리는 너무 많이 생각하고 너무 적게 느낀다."고 말했다. 바로 감성능력, 공감능력의 빈곤을 지적한 말이다. 감성회복을 위한 방법으로 예술, 특히 공연예술과 친해질 것을 권한다.

12월은 한 번도 '문화생활'을 안 하던 사람들도 한 번쯤 공연장으로 발길을 옮기는 시기다. 크리스마스와 연말시즌이 있기 때문이다. 이때쯤 의식 있는 기업이나 단체는 송년회도 먹고 마시는 회식 대신 가족들과 함께 공연과 전시를 관람하는 문화송년회로 대체한다. 문화예술을 공유하면서 감성을 키우고 공감의 시간을 갖기 위해서다.

세월호 참사 여파로 관객 수가 급감한 이후 회복세를 보이지 않는 공연시장을 살려야 할 때다. 관객 수보다 텅 빈 객석이 더 많을 때 공연을 준비한 아티스트의 얼굴이 떠오른다. 그 민망함과 송구함을 언제까지 되풀이할 것인가? 올해가 가기 전 예술인들의 어깨를 다독이며 따뜻한 위로의 말을 건네는 것은 어떨까? 공연장에서 멋진 송년회를 하고 난 후.

– 〈무등일보〉, 2014. 12. 2.

미디어아트가 공연예술과 만날 때

지난 10월 초 프랑스 파리의 유네스코 본부에서는 매우 의미 있는 행사가 열렸다. 광주 미디어아티스트들의 작품전시회였다. 유네스코 한국위원회 문화예술 친선대사로 활동하는 이이남 작가를 비롯해 손봉채, 정운학, 박상화 작가 등 14명의 광주작가들이 참여했다.

세계 195개 나라가 가입한 최대의 문화외교무대에서 광주의 미디어아트가 소개된 것은 처음 있는 일이었다. 어느덧 세계시장에 진출한 광주 미디어아트의 위상을 확인하고 그 독창성과 예술성을 홍보할 수 있는 절호의 계기를 맞이한 셈이다.

광주는 3월에 미디어아트 분야로 '유네스코 창의도시 네트워크'에 가입신청서를 제출한 후 11월에 발표될 최종 결정을 기다리고 있는 중이다.

2004년부터 시작된 유네스코 창의도시로 지금까지 세계 41개 도시가 지정되었다. 이 중 중국은 5개 도시, 일본은 4개 도시 그리고 한국은 서울 등 3개 도시다. 7개 분야 가운데 미디어아트 창의도시로는 프랑스 리옹과 작년에 지정받은 프랑스 엉갱레뱅, 일본의 삿포로 3개 도시뿐이다.

리옹은 매년 12월에 열리는 '빛의 축제'를 성공적으로 운영하면서 가장 먼저 미디어아트 창의도시로 지정받았다. 도시의 야간 조명을 미디어 파사드 등 공공디자인을 통해 획기적으로 개선하자 리옹은 '밤이 아름다운 도시'로 이름을 떨치게 되었다. 야경을 보러 온 관광객들로 도시는 넘쳐났다. 도시 전체를 아름다운 예술작품으로 탈바꿈 시킨 '빛의 축제'는 리옹을 세계적인 미디어아트 도시로 자리매김 하는 데 결정적 기여를 한 것이다.

광주는 3년째 '광주미디어아트페스티벌'을 열고 있다. 미디어아트를 육성하고 미디어아트 창의도시 가입을 위한 준비를 차근차근 하고 있는 터이다. 그러나 일회성 미디어 퍼포먼스로 광주가 '빛의 도시'가 되기에는 턱없이 부족하다. 리옹처럼 집중적인 예산 투자와 도시발전 전략차원에서 관련 문화산업의 육성책을 동시에 진행해야 가능성이 높다.

미디어아트의 장점은 무궁무진한 확장성에 있다. 미디어 설치작품이나 미디어 파사드 등 전시 프레임을 벗어나 공연예술과 결합하면 새로운 콘텐츠로 재탄생된다. 공연장을 그야말로 '빛의 향연'으로 만들어 관객들을 환상의 세계로 이끄는 마법을 가지고 있다.

미디어아트가 공연예술과 만나 새로운 융합의 세계를 펼친 공연이 최근 잇따라 열렸다. 국립아시아문화전당 내 아시아문화광장에서 열린 '2014문화의 달' 개막공연과 지난주 광주문화예술회관 대극장의 '동아시아문화도시 광주공연'이 그것이다.

미디어아티스트 이이남은 문화전당과 대극장의 외벽은 물론이고 대극장 천정까지 캔버스 삼아 화려한 영상쇼를 선보였다. 특히 광주출신 현대무용가 박진수와 손잡고 만든 작품, 무용과 미디어아트 콜라보레이션 '아시안 빛'에서는 미디어아트의 다양한 기법들이 끊임없이 관객들을 매료시켰다. 영상은 무대세트가 되기도 하고 무용수와 한 몸이 되어 작품효과를 극대화했다. 현란하게 움직이는 미디어아트 영상과 무용, 서로 다른 두 장르가 저항감 없이 어울려 빛나는 소통의 무대를 만든 것이다.

예술 장르 간의 엄격한 경계는 해체된 지 오래다. 미디어아트도 기존의 미술 장르에서 벗어나 디지털 미디어의 새로운 흐름으로 변화하고 확장되고 있다. 요즈음엔 관객의 참여를 통해 변형되고 완성되는 인터랙티브 방식의 작품들을 쉽게 접할 수 있다. 관객과의 상호작용을 중요하게 여기기 때문이다. 기술과 과학, 그리고 예술이 융복합된 뉴미디어아트로 가고 있는 것이다.

미디어아트와 공연예술의 결합을 보면서 새삼 예술의 진정한 역할을 생각한다. 예술은 우리 인식의 습관을 부수는 것이라는 말에 공감한다. 예술의 권위를 내세우기보다는 관객과 함께 즐기고 누릴 수 있는 향유의 장이 더 중요하다는 뜻이다.

디지털 기술을 활용한 미디어아트로 도시환경뿐만 아니라 문화예술의 품격까지 높이길 기대한다. 11월에 발표될 유네스코 미디어아트 창의도시 결정이 간절히 기다려지는 이유이다.

- 〈무등일보〉, 2014. 11. 4.

시인(詩人)이 존경받는 사회

"구석지고 초라한 시인의 집에 빛나는 꽃을 달아주고 싶었다."

최근 '시인의 집 동판달기 운동'을 시작한 드맹 아트홀 관장의 말이다. 문득 이 말이 가슴에 꽂혔다. 그렇다. 시인을 존경하는 사회가 문화도시다. 문화란 다름 아닌 삶의 표현이기 때문이다. 그런데 모순으로 가득 찬 세상에서 우리의 삶을 순정한 언어로 진솔하게 표현하는 사람들이 시인이지 않는가. 좋은 시는 실의와 좌절의 늪에 빠진 이를 건져주고 위로해주며 더러는 눈물도 닦아준다. 또 삶의 고비 고비미디 길이 되어 주기도 한다. 그러나 시인은 가난하다. 사회는 그들을 존경하지도 않고 사랑하지도 않는다.

굳이 영국이 인도와 바꾸지 않겠다는 세익스피어를 거론하지 않더라도 세계의 문화도시들은 고향의 문인들에 대한 존경과 자부심이 철철 넘친다. 그들의 생가나 거처공간은 박물관이나 문학관으로 재탄생되어 관광객의 발길을 붙잡는다.

'시인의 집' 첫 번째 수혜자는 '무등산의 시인'으로 알려진 범대순 시인이다. 이를 계기로 노(老)시인은 50년 넘게 살아온 자택에 아담한 '시문학관'을 열었다. 1만여 권의 책으로 싸인 서재를 기꺼이 문화 사랑방 공간으로 내놓은 것이다.

우리는 평생 자신의 언어에 정직했던 고향의 시인들을 기억한다. 소설가로도 필명을 떨친 문순태, 이명한 시인 그리고 문병란, 송수권, 김준태 시인 등이 있다. 그리고 이들을 빛나는 시의 세계로 이끈 다형 김현승, 용아 박용철 시인은 광주를 상징하는 보배로운 존재다. 아직도 해법을 찾지 못한 광주문학관 건립의 출발지는 바로 이 시인들에 대한 존경과 사랑, 자존심이 되어야 하지 않을까. 사욕이 개입되어 시인의 가치를 황폐화시키는 일은 더 이상 보고 싶지 않기 때문이다.

며칠 전 정부는 15개 광역 자치단체별 특화발전 프로젝트 추진계획을 내놓았다. 지역의 의견을 수렴해 7월 말까지 최종 대상을 선정 후 정부지원계획을 확정한다는데 광주는 예상대로 문화콘텐츠산업이었다. 문화가 광주의 미래 먹거리임을 재차 확인한 셈이다.

내년 국립아시아문화전당 개관을 앞두고 문화콘텐츠의 기반이 될 많은 이야기꾼(스토리텔러)들이 절실한 시점이다. 이야기가 가치를 창조하는 시대라는 말은 이미 낡은 수사가 되어버린 세상이다. 미국의 월트 디즈니(Walt Disney)가 수없이 다양한 이야기들을 수천 가지 상품으로 만들어 막대한 이윤을 올리고 있음은 널리 알려진 사실이다. 이야기꾼들이 창조해낸 다양한 캐릭터와 이야기를 애니메이션, 영화, 드라마, 소설, 게임 같은 콘텐츠로 재창조하는 것이다. 최근에도 1,000만 관객을 돌파한 애니메이션 〈겨울왕국〉으로 그 위력을 과시했다.

디즈니의 지속적 생명력은 창의력, 상상력에서 나온다. 그런데 그것은 독일의 문예비평가 발터 벤야민의 말처럼 항상 언제나 그 자리에 있어 왔던 것 중의 하나일 뿐이다. 없었던 것이 마법처럼 어느 날 갑자기 생겨나는 방식이 아니라는 것이다. 다르게 표현하면 자기만의 시각으로 사물을 보기 시작할 때 획득된다는 말이다.

『해리포터』 시리즈로 일종의 문화아이콘이 된 조앤 롤링(Joan K. Rowling)도 2008년 하바드대 졸업식 연설에서 이와 비슷한 이야기를 남겼다. "세상을 바꾸는 데는 마법이 필요하지 않다. 이미 그 힘은 우리 내면에 존재한다. 우리에게는 더 나은 세상을 상상할 수 있는 힘이 있다."

시를 사랑하고 시인이 존경받는 사회를 열망한다. 창의적 상상력으로 더 나은 세상을 꿈꾸는 사람들이 바로 그들이기 때문이다. 세상에 사랑이 마르지 않기를 바란다면 시를 읽으시라. 그리고 그들을 사랑하시라. 어느 날 문득 새로운 세상에서 나만의 길을 내고 있는 자신을 발견할 터이니까.

– 〈무등일보〉, 2014. 3. 18.

자신만의 스타일로 산다는 것

　타악그룹 '얼쑤'는 왕성하게 활동하고 있는 광주의 대표적 공연 단체라 할 수 있다. 특히 올해는 창단 20년째로 12월에 열릴 기념공연에 대한 기대감을 갖고 있던 터였다. 그런데 이들은 얼마 전 기념 공연을 전격 취소했다. 지쳤다는 이유에서다. 소식을 듣고 단체 대표와 전화통화로 사실을 확인하면서 바닥난 기력을 회복할 시간이 필요하다는 그의 말에서 진심을 느낄 수 있었다. 사실 이들은 10월에는 단 하루도 쉬지 못하고 무대에 섰다고 한다. 광주, 전남뿐만 아니라 경기도, 부산, 제주 등 부르는 곳이 있다면 마다하지 않고 달려갔다. 공연을 해야 먹고 살 수 있는 절박한 현실 때문이다.

　그러나 공연을 하면 할수록 직면하게 되는 문제, 매너리즘에 빠져 허우적거리는 자신들의 고달픈 처지를 직시하게 된다. 새 작품을 만드는 것은 언강생심이며 공연일정에 쫓긴 나머지 패턴화되고 규범화된 방식을 따를 수밖에 없었으리라. 이러한 공연은 기교만 난무하지 울림과 깊이를 상실한다. 결국 감동의 세계와는 멀어지게 된다. 본디 예술인은 자유로운 영혼의 소유자가 되어야 하는데 이들은 직업으로서, 기능인처럼 일하고 있는 현실을 문득 깨닫고 새로운 시작을 위해 고통스럽지만 잠시 공연중단을 선언한 것이다.

독일의 문호 괴테가 말했던가. 이 세상을 아름답게 하는 모든 색채는 빛의 고통에 의해서 이루어졌다고. 이 늦가을에 만끽하고 있는 형형색색의 아름다운 단풍은 빛에 의해 당연히 주어지는 것이라고 생각했는데 그 아름다운 빛깔을 주기 위해 빛의 고통이 있었다는 사실은 우리의 정신을 번쩍 들게 한다. 그렇다. 사실 고통이 없다면 새로움이란 존재할 수 없을 터이다. 현실에 안주하지 않고 끊임없이 삶에 고통과 자극을 주는 사람들이 있어서 세상이 아름답게 되는 것이 아닌가 생각해본다.

고통 속에서 치열하게 삶을 산 사람 가운데 시인 김수영의 자유정신을 나는 사랑한다. 그는 1968년 6월 교통사고로 세상을 떠날 때까지 하루도 편할 날이 없었다. 자신의 삶을 부정하는 일체의 것들과 끝없는 싸움을 전개하면서 오직 제정신을 갖고, 김수영답게 살려고 발버둥 쳤다. 그의 자유정신이란 다른 누구도 아닌 자신이니까 살아낼 수 있는 삶을 사는 것을 말한다. 남을 모방하는 삶이나 억압된 삶은 실패한 삶이기 때문이다. 이 자유정신이야말로 인문정신의 요체다. 그러나 오늘의 인문정신은 강풍이 불면 꺾이거나 바람에 날아갈 만큼 나약하다. 그래서 인문정신의 진짜 모습 속에는 처절한 고통과 절규가 녹아 있어야 한다고 김수영은 온몸으로 증거하고 있는 것이다.

떨어지는 낙엽을 보면서 서서히 한 해가 마감되고 있음을 실감한다. 올 한 해 나는 다른 사람 흉내 내지 않고 정직하게 살았는가 자문해본다. 우리가 김수영을 새삼스레 떠올리는 까닭은 50년 전 그가 획득했던 자유정신, 인문정신이 오늘에 이르러 퇴색되고 후퇴

해 버렸다는 사실을 각성하기 위해서다. 우리는 아직도 매너리즘의 늪에서 벗어나지 못하고 있기 때문이다.

자유롭게 사는 것은 자신만의 스타일로 사는 것을 말한다. 여기에는 타성에 억눌리지 않는 용기가 필요하다. 자신과 세상을 정직하게 응시할 수 있는 자신만의 안목도 긴요하다. 모두가 똑같은 '강남스타일'로 세상을 바라볼 때 자신만의 스타일을 고집할 수 있어야 한다.

한 번밖에 없는 자신의 삶을 자신의 스타일로 사는 일은 얼마나 멋진 일인가. 이것은 사람을 사람답게 만드는 힘의 원천이자 시인 김수영이 추구했던 자유정신이 아니겠는가. 자율적이고 자신감 넘치는 새로운 시작을 위해 반성적이고 성찰적인 사고가 필요한 때다.

올 겨울에는 매너리즘이란 두터운 옷을 훌훌 벗고 고정된 편견에서도 해방된 자유로운 영혼으로 자신만의 스타일을 만들어볼 일이다.

– 〈무등일보〉, 2012. 11. 16.

아리랑과 광주정신의 상통

올해 아시아문화포럼의 기조발제자는 한국의 고은 시인과 일본의 아오키 타모쯔 전 문화청 장관이었다. 강연이 끝나고 환영만찬이 이어졌는데 이 자리에서 아무도 예상치 못한 일이 벌어졌다. 행사 도중 고은 시인이 불현듯 일어나 아리랑 노래를 부른 것이다. 자리를 함께한 발제자, 토론자를 비롯한 문화계 인사들, 특히 중국, 일본, 미국, 프랑스에서 온 학자들은 이 돌발 상황에 놀라면서 노(老)시인의 아리랑 노래를 경이롭다는 듯이 경청했다. 마침내 노래가 끝나자 우레와 같은 탄성과 박수가 쏟아졌다.

언젠가 우리 아리랑이 세계에서 가장 아름다운 민요로 뽑혔다는 기사를 본 적이 있다. 그것은 우리 민족의 고유정서가 세계인과 공유할 수 있는 감성을 지니고 있다는 뜻일 게다. 아리랑은 한 많은 여인의 슬픈 넋두리가 되기도 하지만 고은 시인처럼 기쁠 때도 부르는 노래다.

금년의 문화 키워드 중 하나로 아리랑을 꼽을 수 있을 것이다. 실로 아리랑 사랑은 뜨거웠다. 지역마다 아리랑이 화제가 되었고 다양한 축제 형태로 펼쳐졌다. 대표적인 축제로는 6월에 문화체육관광부가 주최한 '더 아리랑 페스티벌'이나 경기도의 '아리랑 아라리요 페스티벌'이 있다. 이러한 축제의 배경에는 지난해 중국이 아리랑을 자국의 국가무형문화유산으로 지정한 사실이 자리 잡고 있다. 중국의 움직임에 자극을 받은 문화재청은 7월에 세계 유네스코 인류무형문화유산에 아리랑을 등재 신청했으며 그 결과가 11월 스페인 그라나다에서 열리는 유네스코 무형유산위원회에서 결정된다.

따라서 10월에 열리는 광주세계아리랑축전은 국가적으로 볼 때 매우 시의적절한 행사이며 그 의미도 크다고 할 것이다. 그동안 개최된 기존의 행사들과도 차별성을 보이는데 특히 '빛고을 아리랑'이라는 주제공연을 한다는 점은 앞으로도 1회성 행사가 아닌 지속 가능한 행사로의 발전을 기대케 하고 있다. 김명곤 총감독이 대본을 쓰고 연출한 이 작품은 우리 민족의 문화이자 혼인 아리랑을 가장 한국적이면서 현대적인 시각에서 조명하는 총체극이다. 작품 속에서 아리랑은 오월 광주정신과 만나 상생과 평등, 자유의 정신으로 승화되어 간다. 김 감독은 "광주는 아리랑이 담고 있는 고난과 한의 정서를 현대사에서 가장 깊이 체득한 도시여서 아리랑 축전을 하기에 가장 적합한 지역"이라고 말한다. 이 공연의 출연진으로는 광주시립국극단과 무용단 등 시립예술단원들이 대거 참여한 가운데 우리 지역의 마당굿판을 이끌어온 놀이패 '신명'이 가세한 점이 눈에 띈다.

올해 놀이패 신명은 창단 30년째를 맞이했다. 창립 첫 해인 1982년은 그야말로 동토의 계절이었다. 전국의 재야 운동권은 일체의 수면 아래로 잠복하고 거리는 얼어붙었다. 감시와 사찰의 손길만 난무했다. 이런 엄혹했던 시절에 문화운동의 깃발을 들고 거리로 뛰쳐나가 마당판을 만든 공연단체가 신명이다. 신명의 열정과 패기 뒤에는 오월 정신이 자리잡고 있었기 때문에 가능했다. 신명의 전신은 전남대와 조선대의 탈춤반으로 구성된 극회 '광대'다. '광대'는 1980년 3월 「돼지풀이」라는 마당극으로 민족극운동의 좌표를 제시한 바 있는데 두 달 뒤 5·18항쟁이 일어나자 「투사회보」를 제작하는 등 앞장서서 문화선전 활동을 자임했다. 이처럼 광주문화운동사와 맥락을 같이해온 신명이기에 숱한 고난을 넘어서서 오늘까지 꿋꿋하게 마당판을 지켜올 수 있었다. 전라도 마당굿의 원형을 확립했다는 평을 받을 수 있는 저력도 오월 광주정신에서 비롯된 터이다.

최근 광주 예술인들과 함께 지난 30년의 세월을 돌아보는 아카이브전을 열고, 앞으로의 비전을 제시하는 포럼을 개최한 신명은 31일 기념공연 「感(감).動(동)」을 무대에 올린다.

신명의 버팀목이 되어준 오월정신은 이제 아리랑을 만나 더 큰 세계로의 비상을 꿈꾸고 있다. 아리랑과 광주는 상생, 평등, 자유의 정신으로 상통하면서 '빛고을 아리랑'을 세계인과 함께 공감할 것이다.

– 〈무등일보〉, 2012. 8. 31.

스타가 있어야 관객이 있다

국립발레단의 레파토리 가운데 「해적」이란 작품이 있다. 이 작품은 영국의 낭만시인 바이런의 시를 바탕으로 전설적인 안무가 마리우스 프티파가 안무한 고전발레의 대표작이다.

2005년 4월 국립발레단은 「해적」을 예술의 전당 오페라극장 무대에 올렸다. 발레팬들은 오랜만에 출연하는 두 스타 무용수에 이끌려 관람석을 가득 메웠다. 김용걸과 김지영. 두 사람은 모두 국립발레단의 수석무용수로 있다가 각기 파리 오페라 발레단과 네덜란드 국립 발레단에 입단하면서 국립을 떠나게 된다. 그 후 5년만에 재결합해 첫호흡을 맞춘 작품이 「해적」이기 때문에 열성팬들은 흥분할 수밖에 없었다. 2막의 하이라이트인 파드되(2인무)에서 두 사람은 완벽한 호흡으로 느낌이 있는 춤을 마음껏 보여줌으로써 관객의 기대에 보답했다.

발레 「해적」으로 글을 시작한 이유가 있다. 내 인생 중 가장 특별했던 순간이었으니까. 이 작품 1막에 나는 깜짝 출연한 영광(?)을 누렸다. 이른바 카메오 출연. 당시 국립의 박인자 단장은 발레의 대중화 차원에서 정기공연임에도 1막에 등장하는 해적 떼를 모두 카메오로 대체했다. 거의 문화계 인사들이었는데 송자 전 연세대 총장, 이종덕 전 예술의 전당 사장 등 10여 명은 한 달간의 기본교육을 받고 나서야 오페라 극장 무대에 설 수 있었다. 공연이 열린 5일 동안 나는 흥분에 휩싸여 앞으로 발레를 영원히 사랑하게 될 것 같은 예감이 들었다. 물론 이 예감은 얼마 되지 않아 희미한 옛사랑으로만 존재할 뿐이었지만. 아무튼 우리 카메오들은 공연이 끝나고 나서도 '해적 카메오'란 이름으로 모여 발레로 이야기꽃을 피우곤 했다.

한국의 발레리나들이 세계무대에도 통하는 경쟁력을 갖춘 지 오래다. 독일 슈투트가르트 발레단 수석무용수 강수진과 네덜란드 국립 발레단에 있었던 김지영 그리고 최근 아메리칸 발레 시어터(ABT)의 수석무용수로 승격된 서희가 있기 때문이다. 특히 ABT는 영국 로열 발레단이나 러시아 볼쇼이 발레단 등과 함께 세계 5대 발레단으로 분류되는 메이저 발레단이다. 이달 18일부터 서희는 ABT와 함께 낭만발레의 대표작 「지젤」로 예술의 전당에서 국내 발레팬들과 만난다.

「해적」에서 만났던 발레리나 김지영을 「백조의 호수」에서 다시 보게 되었다. 페스티벌 오! 광주 브랜드공연축제 초청작으로 광주를 찾은 것이다. 7년 전보다 훨씬 성숙해진 그녀는 우아한 백조 그 자체였다. 파르르 떨리는 백조의 날갯짓까지 완벽하게 표현하는 섬세함을 보여주었다. 이틀간 광주문예회관을 가득 메운 관객들은 더블 캐스팅으로 출연한 김지영과 이동훈, 김리회와 정영재에게 아낌없는 박수와 환호를 보냈다. 국립무용단의 최태지 예술감독이나 광주 출신 문병남 부예술감독은 광주팬들의 예상치 못한 열광에 놀랐다고 말했다.

광주시립무용단이 창단된 지 어느덧 36년째다. 한때는 국립발레단, 유니버설 발레단과 더불어 국내 3대 발레단이라는 자부심이 넘쳤던 시절도 있었다. 그런데 요즈음 지역 무용인들은 걱정이 많다. 근본적인 문제는 단원들의 노령화다. 수년째 신규채용 오디션 부재의 결과다. 스타가 없어 스펙타클한 클래식발레를 제작할 엄두를 못낸다. 또한 예산부족으로 많은 공연을 할 수도 없다. 발레리나의 생명력은 무대에 많이 세워 관객과 만나게 하는 것에서 비롯되는데 말이다. 사정이 이러하니 발레의 대중화를 위해 관객을 늘릴 핵심 요건인 발레 스타 발굴과 육성 등의 시스템을 만들지 못하고 있다.

발레는 공연예술의 꽃이자 스타들의 무대다. 그 출발점은 발레를 사랑하는 팬의 확보다. 그런데 다행스럽게도 이번 국립발레단의 「백조의 호수」 공연을 통해 확인할 수 있었던 것은 광주에도 자발적 발레관객이 있다는 사실이다. 발레 팬들은 박수칠 준비를 하고 있었던 것이다. 다만 여태껏 볼만한 명품공연과 걸출한 스타들을 만나지 못했기 때문에 외면했던 터이다.

광주시가 열악한 재원임에도 전국에서 유일하게 발레단을 운영하고 있는 현실을 깊이 깨달아서 시립무용단은 존재이유를 설득력 있게 말할 줄 알아야 한다. 차별화된 감동의 무대를 만들어 광주발레를 부흥시켜야겠다는 결기를 세워야 가능하다. 광주발레의 역사, 이제 새롭게 써야 될 때가 왔다.

- 〈광주일보〉, 2012. 7. 16.

광주공연예술의 부활을 꿈꾸며

매년 6월에는 세계공연예술계를 대표하는 리더와 전문가, 예술가들이 한자리에 모여 소통과 공감의 글로벌한 네트워크의 장을 형성한다. ISPA(국제공연예술협회) 국제총회가 그것이다. 올해는 지난주에 한국에서는 최초로 서울에서 열렸다. 30개국에서 공연예술계 종사자 350명이 참가한 서울국제총회의 주제는 '문화변동(Cultural Shifts)'이었다. 전 세계적으로 일고 있는 다양한 사회문화적, 기술적 동인이 공연예술 창작과 향유 그리고 유통과 교류에 어떠한 변화를 일으키는지에 대한 비전과 아이디어를 공유하는 장이 되었다.

우리는 현재 문화예술을 통한 고유의 전통과 감성이 얼마만큼 공감을 얻느냐가 국가경쟁력을 좌우하는 소프트파워 시대에 살고 있다. 따라서 올해 ISPA 총회가 서울에서 개최된 배경에는 아마 한국이 사회문화적 역동성을 바탕으로 한류라는 창조적 에너지를 전 세계에 전파하고 있는 현실과 무관하지 않을 것이다. 작년 K팝의 유튜브 동영상 조회수는 23억 회이며 총 235개국에서 시청했다고 하니 말이다.

한국이 국제공연예술계의 신흥 강자로 급부상하고 있음은 분명하다. 그런데 진정한 공연문화 강국으로 인정받으려면 K팝이나 K드라마로 대표되는 대중문화 열풍이 순수공연예술 분야로 확대되어야 할 것이다. 뿐만 아니라 공연예술의 창작과 유통을 점령하고 있는 서울 중심의 문화생태계는 극복해야 될 과제이다. 지역문화의 수준이 한 국가의 문화품격을 좌우하는 바로미터가 되는 시대에 살고있기 때문이다.

ISPA 서울총회가 열리고 있는 동안 제주도에서는 제주 해비치 아트페스티벌이 열렸다. 국내공연유통 활성화와 공연문화발전의 선도적 역할을 목적으로 한국문화예술회관연합회가 개최하는 국내 최대 규모의 아트페스티벌이다. 올해가 다섯 번째인데 전국의 문예회관 종사자, 예술단체와 공연기획사, 문화예술 관련기관 등이 참여한다. 아트마켓과 쇼케이스 등을 통해 공연정보를 공유하고 공연장의 활성화를 모색할 수 있는 교류의 장이 되고 있다.

빛고을시민문화관을 운영하고 있는 광주문화재단은 작년에 이어서 올해도 참가하였는데 우리 지역 공연예술계의 현주소를 타지역과 비교할 수 있는 자리였다. 우선 광주는 한국문화예술회관연합회에 회원사로 참여하는 기관이 전국에서 가장 적다. 서울은 20개, 대구가 11개, 부산이 9개, 울산이 4개, 전남이 16개 기관이 참여한 반면 광주는 고작 2개 기관에 불과하다. 광주는 타지역과 달리 자치구에 있는 문화예술회관이 참여하지 않기 때문이다. 그러나 요즈음 구 문예회관에서도 공연장상주단체 지원사업을 하고 있기 때문에 공연장으로서 역할과 기능에 대한 비전을 갖기 위해서라도 적극 참여해야 할 것이다. 다음으로 참가예술단체를 보면 광주는 작년부터 타악

그룹 얼쑤 한 단체밖에 없다. 얼쑤는 부스전시뿐만 아니라 쇼케이스에도 참여해 대표작품 「인수화풍」의 하이라이트를 시연했다.

국내외를 막론하고 이렇듯 네트워크와 정보교류의 중요성이 갈수록 절실해지고 있는 시점이다. 그런 점에서 올해 창단 20년째를 맞고 있는 얼쑤의 활동은 우리에게 시사하는 바가 크다. 그들은 전통적이고 독창적인 음악어법을 통해 우리 시대에 부합하는 신명과 열정의 무대를 만들어가고 있다. 매너리즘으로 틀에 박힌 작품을 반복하는 것이 아니라 실험정신으로 늘 새로운 무대를 꿈꾼다. 연극, 무용 등 인접장르와 꾸준히 교류하면서 자신들의 작품을 객관화할 줄도 안다. 그들의 노력은 2009년부터 해마다 개최하고 있는 전국 단위의 예술난장 '젊은 실험예술제'에서 진정성을 잘 드러내고 있다. 그러나 무엇보다 그들의 덕목은 공연을 즐길 줄 안다는 점이다. 그럴 때만이 자신들만의 파워풀한 에너지로 생성된 창조적인 작품이 나온다는 것을 간파한 것이리라.

일찍이 공자도 『논어』에서 말하지 않았던가. "아는 것(知之者)은 좋아하는 것(好之者)만 못하고, 좋아하는 것은 즐기는 것(樂之者)만 못하다."

광주의 공연예술인들이여! 공연환경이 비록 척박하더라도 세상을 바라보는 자신만의 독특한 시각과 안목으로 끊임없이 교류하고 소통하라! 그리고 미치도록 즐겨라! 답은 그 속에 있다.

– 〈무등일보〉, 2012. 6. 22.

광주정신이 살아 있는
'페스티벌 오! 광주'

　지방자치제 실시 이후 우리나라 지역축제는 폭발적으로 확장되었다. 단체장마다 지역의 역사와 특성을 반영한 축제를 개발하고 나섰기 때문이다. 이 지역축제의 대열에 이름을 올려놓지 못한 지역은 자칫 무능한 지역으로 폄하될 지경이다. 그러나 축제공화국이라고 불릴 정도로 축제과잉의 시대에 살고 있지만 제대로 된 축제는 손에 꼽을 정도이다. 지방자치단체와 지역주민 그리고 예술가를 중심으로한 축제조직위원회가 뜨거운 열정으로 결합해서 관람객들을 자극하고 깨우치는 창조적인 문화행사가 아쉽다. 대부분 전례를 답습하거나 타축제를 모방하는 수준을 벗어나지 못하고 있는 터이다. 적지 않은 예산을 투입하고도 프로그램의 내용이나 운영부실로 지역민이나 관광객들로부터 외면당하거나 고비용 저효율 행사라는 오명에서 벗어나지 못한다.

　광주의 대표적인 축제로는 광주비엔날레가 거론된다. 그리고 김치축제나 충장축제가 있다. 그 밖에도 매년 40여 개의 축제가 도심 곳곳에서 열리고 있다. 그런데 10년이 넘은 이러한 축제로 인해서 광주의 브랜드가치와 도시경쟁력은 상승되었는가. 유감스럽게도 광주의 도시경쟁력 지수는 아직도 최하위를 벗어나지 못하고 있는 실정이다. 축제가 시너지를 이루지 못하고 산발적으로 개최됨으로써 효과적인 도시마케팅 수단으로 활용되지 못하고 있는 까닭이다.

도시브랜드에는 무엇보다 지역의 특징과 특별함이 잘 담겨야 한다. 이러한 맥락에서 광주의 축제에는 광주만의 정체성이 살아나야 성공한 축제가 될 것이다. 광주의 브랜드가치 조사를 하면 으뜸순위는 늘 5·18(또는 오월정신)이 차지한다. 따라서 이 광주정신을 잘 반영하기 위해 탄생한 도시브랜드 축제가 '페스티벌 오! 광주' 다. 광주는 오(5)월을 통해 세상을 놀랍게도 오(oh)!하게 변화시켰고 오(5)개의 구에 사는 광주시민들은 오랜 세월 잊지 않고 오월을 기억하고 있다. 또한 페스티벌은 축제를 의미함과 동시에 제의(祭儀)의 뜻을 담아 5·18민중항쟁의 숭고한 정신을 되새기고자 한다.

'페스티벌 오! 광주' 가 지향하는 목표는 지역의 각종 축제를 광주정신을 반영한 하나의 브랜드로 엮어 지역축제의 상생모델을 구축함과 동시에 도시경쟁력 강화에 기여하고자 한다. 그래서 슬로건도 "5일이 있는 광주, 광주가 있는 대한민국"으로 결정했다. 이러한 목표를 가지고 작년에 출범하여 6개의 축제를 운영했는데 브랜드공연축제, 정율성축제, 여성합창축제, 에딘버러축제 참가, 한중전통문화교류, 그리고 아듀 2011축제였다.

올해는 새로운 축제가 몇 개 더 포함되었다. 지난 5월 12일 성황리에 끝난 전국오월창작가요제와 8월에 열리는 2012 광주성악콩쿠르, 그리고 10월의 세계아리랑축전이다. 특히 세계아리랑축전은 광주정신과 아리랑을 결합하여 더 큰 역사와 세계로의 상승을 모색한다. 주제공연인 광주아리랑을 비롯하여 국제자유음악제, 한민족 겨레 노래면, 광주국제학술세미나 등이 펼쳐질 예정이다.

그리고 결코 간과해서는 안 되는, 작지만 의미 있는 프로그램이 있다. '페스티벌 오! 광주' 뿐만 아니라 광주 곳곳에서 열리는 각종 지역축제들을 응원하는 문화나무예술단 활동이다. 예술적 끼가 있는 광주시민이면 누구나 이 문화나무예술단에 참여하여 자발적 재능나눔을 할 수 있다. 시민이 없는 축제의 성공은 기대할 수 없기 때문에 시민주도형 사업으로 기획했는데 반응이 뜨겁다.

도시를 브랜드하고 마케팅하는 것은 결국 지역의 정체성과 특색을 반영하려는 의지가 선행되어야 한다. 더불어 명확한 비전과 전략이 제시된 축제를 통해 가장 효과적으로 성취될 수 있다. 축제는 도시마케팅의 가장 핵심적 수단이기 때문이다. '페스티벌 오! 광주'는 다름 아닌 광주의 도시브랜드가치를 상승시키기 위한 광주문화재단의 전략이다.

– 〈Culture in〉, 2012. 5. 17.

예술가는 어떻게 단련되는가

　연말이 되면 공연물이 넘친다. 지역의 공연뿐만 아니라 유명 뮤지컬이나 콘서트도 전국투어공연으로 광주를 찾는다. 부지런히 발품을 팔면서 공연을 보는데 보면 볼수록 자꾸 미궁 속으로 빠지는 느낌이다. 그러면서 지난해 여름 한철 땀 흘리며 읽었던 니체의 『차라투스트라는 이렇게 말했다』의 서두 부분이 자꾸 떠오른다.

　니체는 정신의 자기변화를 3단계로 설명한다. 낙타에서 사자로 그리고 마지막 단계로서 어린아이의 정신을 든다. '낙타'로 비유되는 정신은 아무런 반성없이 일체의 사회적 관습을 맹목적으로 따르는 정신이다. 마치 낙타가 무릎을 꿇고 짐이 가득 실리기를 바라는 것처럼 말이다. 그런데 유감스럽게도 지역 공연단체의 작품을 보면서 자꾸 이 낙타의 이미지가 오버랩되는 것은 어떤 연유일까. 사자의 정신처럼 자유정신의 쟁취나 어린아이의 정신으로 대변되는 새로운 가치의 창조와는 너무 거리가 멀다.

　지난날의 굳은 습관을 답습하는 단계인 낙타의 정신에 머물러 있다는 것은 과거의 공연이나 지금의 공연이나 차별성이 없다는 데에서 비롯된다. 감동과 예술혼이 실리지 않은 공연이거나 출연진들의 몸짓 하나, 눈빛 하나에서도 프로정신을 느끼기 어렵다. 대본, 무대 연출, 안무, 조명디자인도 마찬가지다. 사정이 이러한데도 유료관객을 확보한다는 것은 요행을 바라는 것과 마찬가지다. 혹자는 시립예술단 공연 때 문예회관 대극장의 텅 빈 초대석을 예로 들면서 지역 오피니언 리더들의 책임론을 거론한다. 또는 객관적 비평문화가 사라지고 학연으로 얽힌 온정주의만 남은 우물 안 개구리식 공연환경이 경쟁력을 실종시킨 원인이다고 진단한다. 물론 공연단체의 입장에서 보면 열악한 예산지원이나 전문인력 부재를 탓할 것이다.

그러나 무슨 이유를 붙이더라도 공연의 책임은 제작 스태프와 출연진에 있다. 요즈음 '국악계의 프리마돈나' 라는 별칭으로 상종가를 올리고 있는 박애리의 경우를 보면 예술가는 어떻게 단련되는가를 엿볼 수 있다. 박애리는 목포 출신으로 국립창극단에서 안숙선 이후 30년만에 배출된 여자 명창이라는 소리를 듣는다.

그녀는 1999년 국립창극단에 입단할 때만 해도 주목을 전혀 받지 못했다. 그러나 성실함과 끈질긴 노력을 통해 서서히 실력을 인정받게 된다. 하루에 무려 100가지 이상의 지적사항을 꼼꼼히 메모하면서 밤낮없이 연습에 몰두했다고 한다. 소리 공부뿐만 아니라 연기와 무용까지 넘나들면서 만능 멀티플레이어로 성장했다. 마침내 2001년 국립극장 최초의 총체극 「우루왕」에서 주인공인 바리공주역을 꿰차게 되고 세계순회공연을 통해 진가를 더욱 드러냈다. 그러나 그녀는 여기서 만족하지 않고 국악과 비보이의 만남이자 전통과 현대의 만남이라는 새로운 장르를 개척 중이다.

오늘날 현존하는 독보적 경영저술가로 평가받는 말콤 글래드웰은 자기 분야에서 최소한 1만 시간 동안 노력한다면 누구나 정상에

오를 수 있다고 말한다. 1만 시간은 매일 하루도 빼놓지 않고 3시간씩 연습한다고 했을 때 10년을 투자해야 하는 긴 시간이다. 그러나 오늘날 정상에 오른 사람들은 이 '1만 시간의 법칙'을 우직하게 실천한 사람들이 대부분이다. 예술인이 매너리즘에 빠져 치열함을 상실할 때 그 결과는 치명적이다. 공연은 피나는 노력과 성찰을 한 자만이 정상에 설 수 있다.

마침 지역 연극계의 오랜 숙원이었던 시립극단 재창단을 눈앞에 두고 있다. 시립극단은 1983년에 지역극단으로서는 전국 최초로 창단되었지만 내분으로 인해 5년만에 해체되었다. 단원들은 뿔뿔이 흩어지고 이후 광주연극계는 침체의 늪에 빠지게 된다. 문화수도를 자처하는 예향의 도시에 시립극단 없는 부끄러운 상황이 23년 동안 지속된 셈이다. 그러나 이제 다시 기회가 왔다. 시립극단 재창단은 명성 높았던 광주연극의 자존심의 부활이자 빈약한 광주공연을 되살릴 무기임에 틀림없다. 그러나 이 부활의 바탕에 니체가 말한 '낙타의 정신'이 깔려 있다면 기회는 다시 위기가 될 것이다. 어느 쪽이 될 것인가는 온전히 광주연극인들의 몫이다.

– 〈광주일보〉, 2011. 12. 5.

늦가을의 옛그림 단상

가을이 오자 간송의 문은 활짝 열렸다. 이젠 익숙한 풍경이 되어 버린 자발적 기다림. 1시간은 기본이고 주말에는 3시간씩 줄을 서더라도 기어코 옛그림을 보겠다는 관람객들의 열기로 서울 성북동 간송미술관은 뜨겁게 달궈지고 있다. 봄과 가을, 1년에 두 번 딱 2주씩만 열리는 간송미술관의 옛 이름이 보화각(葆華閣)이니 이름 그대로 보배들인 우리 문화유산을 올곧게 지켜온 그곳은 어느덧 한국미술사의 성지가 되었다.

나를 간송으로 이끈 멘토는 고(故) 오주석 선생이다. 아니, 정확히 말하면 그의 책이었다. 『한국의 미 특강』, 『옛그림 읽기의 즐거움』, 『그림 속에 노닐다』 등 그의 뛰어난 문장력에 의해 재해석된 옛 그림의 가치는 고단한 삶을 위로한 청량제였다. 이번 간송의 '풍속인물화대전'의 백미인 혜원 신윤복의 「미인도」나 「월하정인도」 등 『혜원전신첩』에 실린 대표작들에 대한 그의 탁월한 해석을 보라. 정신이 번쩍 들고 무릎을 치면서 마침내 그를 사랑하지 않고는 당해낼 재간이 없게 될 것이다. 그는 우리 옛 그림을 옛사람의 삶의 흔적이 고스란히 배어 있는 하나의 생명체로 보았다. 한 인간의 혼이 오롯이 담긴 살아 있는 존재로 대한 것이다.

이 가을에 간송미술관뿐만 아니라 국립중앙박물관의 '조선시대 초상화의 비밀전'이나 삼성미술관 리움의 '조선 화원 대전'에 관람객이 몰린 까닭은 우리 고미술에 대한 진정한 목마름이 있었기 때문이다.

그런데 고미술이 음악과 만나 무대에 올려지면 어떻게 될까. 우리나라 공연예술을 대표하는 국립극장의 창극단, 무용단, 국악관현악단이 합심하여 2011년 국가브랜드공연으로 제작한 가무악극「화선(畵仙) 김홍도」는 고미술을 또 다른 예술 공간 속에서 새롭게 창조했다. 관객들은 그 유명한 '씨름'과 '무동'이 실려 있는 김홍도의 풍속화첩을 한 장 한 장 넘기는 기분으로 관람할 수 있다. 우리의 삶도, 무대도 결국은 한 폭의 그림에 불과한 것임을 말하려 했을까. 영상그림과 함께 무대 위에서 현란하게 펼쳐지는 김홍도의 예술세계 속에서 한국적 정신과 형식미를 발견하게 된다.

음악 속에 빠진 그림이 있는 또 한 편의 공연이 있다. 문화관광부와 한국문화예술위원회가 주최한 아리랑 축제, '이것이 아리랑이다'가 그것이다. 축제의 마지막 날, 간송에서 보았던 혜원의 그림을 다시 만났다. 진도아리랑, 밀양아리랑, 강원도아리랑 등 우리 전통음악을 텍스트로 해서 전통악기와 서양악기가 함께 공존하고 있는 무대 위에 옛 그림들이 너울대며 춤을 추고 있다. 해금 선율이 가지고 있는 넉넉한 호흡과 가야금의 절제미 속에서 옛 그림은 한 편의 서정시 같은 매력으로 다가왔다.

우리는 왜 옛 그림에 열광하며 혜원과 단원을 무대 위로 부르고 있는가. 45년째 간송미술관을 지키고 있는 한국민족미술연구소 최완수 연구실장의 답은 명쾌하다. '우리의 문화적 자존심과 자긍심 때문에 그렇다'는 것이다. 어디를 보아도 '우리 것'이 없는 시대에 '우리 것'을 느끼고 볼 수 있는 점이 매력으로 다가온 것이리라.

때마침 우리 지역에서도 옛 그림과 미디어아트가 결합된 작품을 제작하려는 움직임이 있다. 예향 광주의 버팀목인 남종 문인화를 영상과 음악, 무용이 결합된 멀티미디어 작품으로 만들겠다는 의욕이다. 조선 남종화의 마지막 불꽃으로 일컫는 소치 허련은 스승인 추사 김정희로부터 지도받은 남종화의 길을 구도자처럼 정진했고 자신의 고향인 호남에서 싹을 틔웠다. 마침내 소치에서 의재 허백련에 걸쳐 이룩한 예술적 성취는 우리 지역을 옛 그림의 문화원형이 가장 잘 간직된 땅으로 자리매김했다. 여기에다 빛의 도시답게 미디어아트가 결합하여 새로운 문화콘텐츠를 창조하려는 것이다. 남종문인화라는 동아시아적 보편성을 가진 소중한 우리의 자산을 첨단 디지털기술과 접목하는 것은 예술과 테크놀로지 그리고 인문학의 융복합이다. 이처럼 공연예술의 창조공간은 광대무변하다. 늦가을에 옛 그림의 무한진화를 보면서 오주석이 말한 '혼이 담긴 살아있는 존재'를 음미한다.

– 〈광주일보〉, 2011. 11. 7.

에딘버러로 가는 길

에딘버러를 다녀온 후 여기저기서 축하인사를 받았다. 광주문화재단이 제작한 「자스민 광주」가 세계최대 공연예술축제인 에딘버러 프린지 페스티벌에 참가한 결과 공식평가기관인 '브로드웨이 베이비'로부터 별 다섯 개의 최고등급을 받았기 때문이다.

두 달 동안 「자스민 광주」는 지옥과 천당 사이를 오간 셈이다. 7월 2일 광주 초연 후 나타난 과민반응들은 이 작품이 담고 있는 진정성과 씻김음악의 예술성에 주목했던 공연전문가의 입을 다물게 하기에 충분했다. 「자스민 광주」가 태생적 한계를 갖고 출발했음은 잘 알려진 사실이다. 4개월이라는 짧은 제작기간. 광주와 서울을 오갈 수 밖에 없는 스태프 회의. 연합팀으로 구성된 출연진 등 이루 열거할 수 없는 악조건 속에서 연습에 돌입해야만 했다. 그러나 이 레퀴엠의 핵심인 광주의 상처를 극복하고 세계의 고통을 함께 나누고 치유하려는 메시지에 공감한다면 세계와 통할 것이다는 자신감을 갖고 있었는데 여기에 확신을 불어넣어준 사람들이 6월 중순경 취재차 광주를 방문한 스코틀랜드 언론인들이었다. 그들은 코미디가 주류를 이루는 에딘버러 축제에서 「자스민 광주」와 같은 콘텐츠는 매우 자극적이고 흥미로운 주제가 될 수 있다고 진단했던 터이다. 그들의 예단은 그대로 적중했다. 현지 공연평론지 『리스트』는 하이라이트로 감동을 전했으며 일간지 〈헤럴드〉와 〈스콧맨〉도 공연 사진과 함께 기사를 실었다. 그리고 6회째 공연이 끝나자 '브로드웨이 베이비'는 "우리 모두에게 인류에 남아 있는 영혼의 교감을 상기시키기에 충분할 뿐만 아니라 정말로 진귀한 볼만한 작품이었다"는 리뷰를 발표했다.

에딘버러에서 돌아오는 길에 곽재구 시인의 산문집 『우리가 사랑한 1초들』을 읽었다. 시인이 인도의 시성 타고르의 고향 산티니케탄에서 540일을 사는 동안에 만난 사람들과 시간의 향기에 관한 아름다운 이야기다. 지독히도 가난하나 행복을 느끼며 살아가는 인도 사람들의 마음에서 우러나오는 향기가 가득하다. 시인은 우리 곁으로 다가오는 생의 1초 1초들과 따뜻하게 포용하라고 말한다. 엄혹했던 1970년대 말 캠퍼스에서 만났던 시인의 모습과 오버랩되면서 그가 전하는 메시지를 아주 생생하게 성찰할 수 있었다.

시인은 풍부한 서정성과 치열함으로 빛나는 은유의 칼날을 갈고 닦았다. 시와 산문들을 발표할 때마다 문단의 화제가 되었다. 1981년 신춘문예 당선작 「사평역에서」를 기점으로 수많은 시집과 산문집, 동화집이 세상에 나오면 나는 애독자가 되어 있었다. 시인은 자신의 말처럼 생의 1초들을 깊이 사랑한 사람이었다.

누군들 삶을 무미건조하게 보내고 싶겠는가마는 특히 예술인들의 삶은 치열함이 생명력이다. 유럽순회공연 중인 정명훈 예술감독의 서울시향도 에딘버러 국제페스티벌에 초청되어 혼이 담긴 선율로 관객의 심금을 울렸다. 서울시향은 아시아를 넘어 세계적인 오케스트라로 도약하기 위한 가열찬 행보를 하고 있는 중이다. 매년 오디션이라는 치열한 생존경쟁을 통해 5%의 단원을 솎아내고 있다. 이러한 정명훈의 실험에 온 세계가 주목하고 있는 셈이다.

치열함에는 고통이 수반된다. 고통 없는 성공은 있을 수 없기 때문이다. 이처럼 고통은 소중하다. 최근 팝핀댄스 오디션에서 우승해 3억 원의 상금을 거머쥔 광주여고 주민정 양의 인터뷰 기사를 봤다. "제 자신을 확인하고 싶었다. 그래서 죽을 각오로 연습했다." 주양은 오디션을 위해 5개월 동안 매일 새벽 3, 4시까지 연습을 했다고 한다.

이제 세계 공연예술의 메카인 에딘버러로 가는 길은 열려 있다. 2013년에 또 한 번의 에딘버러 공연이 예정되어 있는 까닭이다. 새로운 버전을 준비하는 「자스민 광주」가 그때까지 생명력을 이어갈지 아니면 창의적인 소재와 치밀한 공연전략으로 무장한 지역공연단체가 에딘버러행 티켓을 손에 쥘지는 아무도 장담할 수 없다. 다만 짐작할 수 있는 것은 처절한 고통 속으로 자신을 밀어넣고 '죽을 각오로 연습한 자'에게 기회가 올 거라는 것이다. 그들이야말로 생의 1초 1초를 진정으로 사랑한 자들이므로.

– 〈광주일보〉, 2011. 9. 5.

문화나무예술단을 아시나요?

워싱턴 지하철역 중 가장 붐비는 곳이라는 랑팡 플라자 지하철역 출근길에 청바지 차림을 한 거리의 악사가 등장한다. 그는 바이올린 케이스를 열고 바이얼린 연주를 하기 시작한다. 바흐의 「샤콘 d단조」를 비롯한 45분간의 미니 독주회. 아무도 그를 알아보는 사람은 없었다. 그곳을 통과한 사람은 1,000여 명이 넘었지만 잠시라도 서서 음악을 들은 사람은 7명이었으며 바이올린 케이스에 모인 돈은 고작 32달러였다.

그는 3일 전 보스톤 심포니홀 무대에 섰는데 입장료가 100달러였다. 미국이 낳은 세계적인 바이올리니스트 조슈아 벨이었다. 워싱턴 포스트 취재팀의 요청에 의해 몰래카메라를 설치한 실험무대에 선 것이다. 워싱턴 포스트가 내린 결론은 두 가지다. 워싱턴 시민들은 훌륭한 연주에 잠시라도 귀 기울일 만큼 여유가 없이 바쁘거나 비싼 입장료 내고 음악회에 가는 사람들은 연주보다는 연주자의 유명세에 값을 치룬다.

내가 이 실험에 주목한 대목은 두 번째 결론이다. 극히 일부 전문가를 제외하고 대부분은 어떤 연주가 좋은 연주인가를 구분할 수 있는 '좋은 귀'를 갖고 있지 않다. 그래서 연주자의 명망성에 의존해 음악회를 선택한다. 따라서 '유명한 누구가 온다더라' 혹은 '무슨 콩쿨에서 상을 받은 누구 연주회다'라는 정보의 충성도는 높을 수밖에 없다.

지난달 막을 내린 '페스티벌 오! 광주 브랜드 공연축제'를 주최한 광주문화재단에서는 재미있는 실험무대를 열었다. 공연 시작 한 시간 전에 1층 전시장에서 작은 음악회를 개최한 것이다. 악보 전시라는 이색적인 전시공간을 연출한 '한보리 노래전시회' 그리고 80년 5월 어머니들이 자식과 남편을 잃은 그날의 장소에서 찍은 사진들로 깊은 감동을 준 '김은주 사진전시회'가 열리고 있는 공간에서 미니 콘서트를 꾸몄다. 이름하여 '문화나무예술단 콘서트'. 출연자는 이름 없는 아마츄어를 포함해서 장래가 촉망되는 연주자거나 신진예술단체이다. 널리 알려지지는 않았지만 갖고 있는 기량을 최선을 다해 연주하는 모습에서 아름다움을 느꼈다.

이들 중에는 방학을 이용해 고향을 방문한 오스트리아 빈 국립음대 학생도 있었다. 자매간인 이들의 바이올린과 첼로 앙상블을 들으면서 머지않아 유명한 콩쿨에서 수상을 한 후 멋진 무대에서 화려한 귀국연주회를 할 날이 올 거라는 상상을 해봤다. 순천과 목포시립합창단 단원들로 구성된 '노이 깐띠아모'와 함께 유명오페라 아리아를 따라 부르면서는 행복감을 느꼈다. 그리고 우리 국악의 현대화, 대중화에 힘쓰고 있는 퓨전국악팀 '아이리아'의 쑥대머리는 전혀 색다른 느낌으로 다가왔다.

예술을 접하는 데 어떤 이유로도 소외되는 분들이 없도록 하자는 것이 '문화복지'의 핵심이다. 그중 대중과 소통하고 참여를 통해 예술을 체험하고자 하는 요구에 부응하고자 마련된 프로그램이 '미술관 음악회'다. 클래식 음악에 대해 일반대중은 딱딱하거나 어렵다고 생각한다. 그래서 미술관 음악회는 기존의 클래식 음악 공연에 대한 이러한 인식을 토대로 대중과 함께하려는 시도의 일환이다. 음악회장에서 정장을 하고 듣는 오페라 아리아라도 미술관에 오면 편한 마음으로 들으니 박수도 절로 나온다.

기실 공연을 보러 미술관으로 가는 시대가 온 지 오래다. 광주에서는 이제 시작이지만 서울에서는 진즉부터 유명 화랑을 중심으로 전시와 공연을 하나로 묶어 문화상품으로 만들었다. 가나아트센터나 아트선재센터가 대표적이다. 광주는 올해 지역성악가들로 구성된 '광장음악회'가 미술관을 찾아가 공연을 시작했다.

문화나무예술단은 자발적으로 재능기부를 하고자 하는 예술인과 단체들의 집합체이다. 그래서 미술관 음악회뿐만 아니라 무대와 장소를 구애받지 않는다. 광주가 매력적인 문화도시가 되려면 우선 거리공연이 활성화되어서 볼거리가 풍성해야 한다고 생각하기 때문이다. 우리 지역이 갖고 있는 예술적 끼와 재능이 문화나무예술단을 통해 광주 곳곳에 문화나무로 심어져서 마침내 울창한 문화의 숲을 이루었으면 하는 마음이 간절하다.

– 〈무등일보〉, 2011. 8. 9.

광주브랜드공연의 글로벌화

　최근 광주시는 원로작가 황영성 화백을 시립미술관장으로 선임했다. 황화백은 우리 지역의 대표적인 작가로 널리 알려져 있는 인물이다. 그런데 그의 경력을 살펴보면 다른 작가와 확연히 구별되는 부분이 있다. 일찍이 국제무대에 진출해서 지금도 왕성하게 현역으로 뛰고 있다는 점이다. 9월에 있을 북경 초대전을 위한 작품 구상에 들어간 그는 프랑스, 영국, 미국의 유명한 갤러리에서 개인전을 갖는 등 국제화단의 주목을 받아왔다. 아마 이 점이 시립미술관장으로 발탁된 배경이 아닌가 싶다. 비엔날레 개최도시인 광주의 공공미술관의 위상에 걸맞게 글로벌한 안목을 통해 세계미술계와 소통할 수 있는 적임자로 판단한 것 아닌가.

　문화의 세기에 들어서면서 국가 간의 경쟁에서 도시 간의 경쟁으로 패러다임의 변화를 겪는다. 도시마다 담대한 그랜드구상과 전략을 세우지 못하면 경쟁에서 처지고 마는 현실이다. 그래서 창조도시의 권위자인 영국의 찰스 랜드리(Charles Landry)는 세계에 이바지하는 가장 창의적인 도시를 만들고자 노력할 것을 조언한다.

　도시의 브랜드가치를 높이는 일은 바로 창조도시로 가는 지름길이다. 창조도시의 핵심동력인 창조성(creativity), 독자성(identity), 예술성(artistry)은 도시브랜드 속에 녹아 있다. 그러면 광주라는 도시의 브랜드가치를 높이는 소재는 무엇일까. 무엇보다 5월과 민주, 인권, 평화의 이미지일 것이다. 그리고 광주비엔날레, 무등산, 아시아문화전당, 김치축제, 2015하계유니버시아드대회 등일 것 같다. 여기에 덧붙여 그 도시의 정체성과 역사를 반영한 공연상품도 도시브랜드를 만드는 좋은 요소가 되기 때문에 광주브랜드공연은 광주의 브랜드가치를 높이는 기회가 될 수 있을 것이다.

　광주시와 광주문화재단이 열정을 가지고 만들고 있는 광주브랜드작품은 세계최대의 공연예술축제인 에딘버러 페스티벌을 겨냥하고 있다. 목표는 민주, 인권, 평화의 도시 광주라는 도시브랜드의 세계화이다. 5월 광주정신과 남도만의 독특한 서정성을 연결하여 세계인이 공감하는 보편성을 확보하고자 한다. 때마침 중동과 북아프리카에서 민주화의 바람이 불고 있다. 한국의 민주화운동의 진원지인 광주는 이 작품을 통해 재스민혁명을 지원함과 아울러 민주의 성지 광주라는 도시브랜드를 세계화하는 데 크게 기여할 것으로 기대한다.

　광주가 만든 작품이 세계를 향해 가고 있는 이 기회에 필자는 광주공연예술에 몸담고 있는 예술인들과 함께 고민하고 싶은 부분이 있다. 지금은 실감을 못하지만 2014년 아시아문화전당이 개관하면 광주는 아시아문화의 중심에 서게 된다는 점이다. 다양한 아시아의 인종, 종교, 문화가 충돌하고 교차, 융합하는 아시아의 재발견을 통해 서구 문화의 대안으로 새로운 문화르네상스를 선도하는 위치에 서는 것이다. 우리는 그 '아시아 문화의 중심'을 만드는 준비를 서

둘러야 한다. 그 대열에서 광주공연예술은 매우 중요한 역할을 하게된다. 시야를 크게 넓히고 아시아라는 큰 프레임 속에서 광주를 새롭게 조명하자. 열악한 공연환경을 탓하고 배우없다고 한숨 지을 일이 아니라 잘할 수 있는 일부터 찾아나서야 한다. 가령 광주의 5월과 남도의 소리는 남이 결코 흉내 낼 수 없는 우리만이 갖고 있는 아우라이자 원형질이 아닌가. 이러한 광주의 아름다운 문화와 정신에 '상상력의 힘'을 불어넣어야 한다. 광주를 아시아의 보석으로 만드는 스토리텔링 작업을 여기저기에서 해야 한다. 그럴 때 광주가 만든 작품은 아시아를 넘어 세계인이 공감하는 글로벌공연이 될 것이다.

– 〈광남일보〉, 2011. 3. 18.

에딘버러와 광주

스코틀랜드는 한국과 유사점이 매우 많다. 지금은 영국으로 통합됐지만 오랜 세월 잉글랜드의 침략을 받은 역사적 경험을 결코 잊지 않고 있다. 멜 깁슨 주연의 영화 〈브레이브 하트〉를 보면 실감날 것이다. 잉글랜드에 대한 반감과 자존심이 도시 곳곳에 배어 있는데 국민스포츠인 축구마저 스코틀랜드리그를 따로 운영할 정도다. 광주출신 기성용의 셀틱FC가 이 리그에 참여하고 있다. 또 우리처럼 교육열이 매우 높고 다혈질적이며 원칙을 중시하는 편이다. 에딘버러는 이러한 스코틀랜드의 원형과 기질을 가장 잘 간직하고 있는 옛 스코틀랜드왕국의 수도이다.

인구 46만명에 불과한 에딘버러가 축제전략으로 연간 1천2백만명의 관광객을 유치하면서 '세계축제왕국'으로 우뚝 서게 된 배경에는 고집스런 스코티시(스코틀랜드 사람)의 기질과 전통이 녹아 있다.

1947년 전쟁의 상처를 딛고 8개 극단이 문화와 예술을 통한 전후 '유럽의 평화와 통합'을 기치로 내걸며 변두리의 작은 극장(프린지란 본래 '가장자리' 또는 '주변'이라는 뜻으로 이 '변두리 극장'에서 유래한다)에서 프린지축제로 시작된 에딘버러축제는 오늘날

12개의 축제로 확대 발전되었다. 4월에 오픈하는 사이언스 페스티벌을 기점으로 다음 해 1월 1일 새해맞이 축제까지 에딘버러는 축제로 하루를 시작하고 마감한다.

지난 2월 23일 필자는 광주시 관계자와 함께 에딘버러를 방문하여 에딘버러시 초청으로 광주특별공연을 하기로 결정했다. 8월 13일부터 일주일간 개최되며 공연장은 에딘버러 인터내셔널 컨퍼런스 센터(EICC)홀이다. EICC는 에딘버러 시내의 고색창연한 역사적 건축물 사이에 있는 원통 모양의 현대식 건물이다. 1,200석 규모의 가변형 공연장이며 에딘버러성 인근에 있어 인기 있는 공연장 중 하나이다. 이 정도의 공연장을 구하기란 행운이랄 수 있는데 에딘버러시 공연정책담당 아날리(Annalee)의 열정적인 도움 때문에 가능했다.

'지구상에서 가장 큰 예술축제' 로 기네스북에 올라 있는 프린지축제는 세계적인 예술공연물 견본시장이다. 세계 각국의 축제프로그래머, 에이전트, 프로듀서 등 공연산업전문가들은 프린지축제에 와서 공연들을 보고 예술성과 상품성을 평가하여 마음에 들면 구매해간다. 난타도 1999년 프린지축제에 참가해 좋은 평가를 받은 후 국내는 물론 세계적인 상품이 되었다.

작년 프린지축제는 25일간 259개 공연장에서 2,453개의 작품이 무대에 올랐다. 이 중 1,200여 개의 공연은 세계 최고 수준이라는 평가를 받는다. 이 프린지축제가 지역에 미치는 경제적 효과는 7천5백만 파운드(약 1,380억 원)에 달한다.

이제 에딘버러를 향해 주사위는 던져졌다. 세계적인 공연산업전문가들과 저널리스트들 앞에서 광주공연은 어떤 평가를 받을 수 있을까 벌써부터 흥분된다. 다행히 위안을 삼을 만한 대목은 있다. 프린지축제사무소(The Festival Fringe Society)에서 샘플로 가져간 광주공연단체들의 영상을 보여줄 때 매우 흥미를 느꼈다는 사실이다. 그들은 관객을 끌 수 있는 요소가 충분히 있다고 말했다. 이점이 축제담당 아날리의 도움을 이끌어낸 계기가 되었다고 생각한다.

또 한 가지 우리에게 기회가 될 수 있는 부분이 있다. 8월 12일부터 열리는 인터내셔날 페스티벌은 올해 주제를 '아시아의 문화'로 정했다. 이 국제축제는 축제위원회에서 세계적인 유명공연단체를 직접 초청하여 1, 2년 전에 프로그램을 확정한다. 올해는 한국, 중국, 일본 등 6개국이 초청되었는데 장예모 감독의 중국 국립중앙발레단, 지휘자 정명훈의 서울 필하모니오케스트라 등이 대표적인 단체이다.

수 세기 동안 서양의 아티스트들에게 많은 영감을 주고 마음을 사로잡은 매혹적인 아시아의 예술과 오리엔탈리즘을 맛볼 수 있는 좋은 기회가 될 것 같다. 이러한 분위기 속에서 올려질 광주공연은 무엇을 담을 것인가. 더군다나 에딘버러 최초의 순수 광주산(産)공연이다. 무엇보다 광주의 정신과 역사를 충실히 반영하면서도 세계와 소통할 수 있는 보편성을 획득해야 한다고 본다. 또한 항상 실험정신을 추구하는 에딘버러의 정신과도 맥락을 같이하면 좋겠다. 세계적인 공연시장에 당당히 올려질 우리의 작품에 거는 기대가 너무 크다.

- 〈광주일보〉, 2011. 3. 16.

광주브랜드공연의 자존심

작년 한 해 동안 문예진흥기금을 지원받은 단체 중 가장 높은 평가를 받은 사업은 무엇일까? 2010년도 지역문화예술육성지원사업에 대한 종합평가결과가 최근 나왔다. 행정평가와 전문가평가를 합친 최고의 점수는 가수 「김원중의 달거리」 공연이었다. 김미숙과 임지형 무용단의 공연, 문인협회의 시화전, 얼쑤의 젊은 실험예술제 등도 높은 평가를 받았지만 달거리 공연에는 미치지 못했다. 문학, 시각예술, 공연예술 등 많은 장르의 주류예술을 제치고 이른바 비주류예술이라고 할 수 있는 달거리 공연이 모니터링 결과 최고점수를 받았다는 점은 시사하는 바가 크다.

김원중 달거리 공연의 성공전략은 무엇보다 지속적인 상설공연에 있다. 매월 셋째 주 월요일에는 달거리 무대를 볼 수 있다는 지속성이 돋보였기 때문이다. 예술성과 창의성도 뺄 수 없는 중요평가지표다. 새로운 시도가 끊임없이 업그레이드된다. 판소리와 클래식의 만남, 핑거 페인팅, 영화 속 노래찾기, 토크 프로그램, 그리고 한희원의 무대미술. 여기에 고정관객의 자발적인 열정까지 합쳐졌으니 두말할 나위 없다. 「김원중의 달거리」 공연은 말 그대로 김원중표 브랜드공연이다.

광주문화재단은 지난 1월 3일 출범한 후 광주를 풍성하게 하는 문화나무를 잘 키우겠다는 각오를 수차례 밝혔다. 그 의지의 한가운데에 '광주브랜드공연'이 자리 잡고 있다. 광주에 와야 볼 수 있는 광주다운 공연. 광주의 독자적인 정체성과 이미지가 함축된 생명력있는 무대. 광주브랜드공연이라는 지역문화콘텐츠를 통해 광주시민의 문화적 자긍심도 높아지리라는 기대도 공연제작을 부추기는 요소다.

문화관광부는 국가차원에서 국가브랜드공연을 육성하고 있다. 2006년부터 '국립극장 국가브랜드공연'을 기획하여 무대에 올리고 있는데 올해는 「화선, 김홍도」를 제작 중에 있다. PMC프로덕션의 「난타」, 극단 에이콤의 「뮤지컬 명성황후」, 극단 학전의 「뮤지컬 지하철 1호선」 등은 국민의 사랑을 받은 대표적인 브랜드 작품이다.

지난 1월 말경 광주브랜드공연제작을 위한 전문가 간담회를 가졌다. 방향성과 장르 결정이 관건이었는데 많은 아이디어가 쏟아졌다. 5월과 남도소리 그리고 미디어아트를 결합하자는 의견과 특히 광주의 역사를 바탕으로 여러 장르를 미학적으로 결합시킨 총체극 형식에 공감을 했다. 남도의 소리 안에 우리 지역만의 독특한 DNA가 담겨 있기 때문에 오디션을 통해 남도소리꾼을 발굴하자는 발상은 흥미로웠다. 광주비엔날레를 비롯한 국제행사의 메인공연을 기획사 통해 비싼 돈 들여 외지에서 부르는 일에는 다들 열받고 있었다. 문화수도라고 부르는 땅에서 예술로 밥먹고 사는 자의 자존심과 오기 그리고 뜨거운 열정이 광주브랜드공연을 탄생시키는 동력이다. 제작에 속도를 내려고 한다. 7월쯤 열리는 '페스티벌 오! 광주' 공연축제 때 쇼케이스 공연을 하고 수정과 보완작업을 거쳐 11월 공식무대에 올릴 계획을 세웠다.

입춘이 훌쩍 지났다. 김준태 시인은 말한다. "래춘(來春)이 아니라 입춘(立春)인 것은 봄이란 그냥 오는 것이 아니라 세우는 것이다. 힘을 모아 벌떡 일으켜 세우는 것이다"고 말한다.

수준 높은 브랜드공연을 완성하기까지는 많은 시간과 투자가 요구되는 어려운 작업이다. 그러나 봄을 일으켜 세우듯이 신묘년 새봄에 광주문화예술의 총체적 역량을 결집해 광주의 자존심인 '광주브랜드공연'을 벌떡 일으켜 세우는 일은 멋진 일이 아닌가.

- 〈무등일보〉, 2011. 2. 15.

문학관 하나 없는 문화도시

우리나라 예술인 가운데 오로지 전업작가로 살아가는 사람은 얼마나 될까?

얼마 전 문체부가 예술인을 대상으로 실시한 실태조사 결과에 따르면 절반 가량이 겸업을 하는 것으로 나타났다. 순수 예술활동만으로는 생계를 유지하기가 어렵다는 말이다. 그런데 장르에 따라서 매우 큰 격차를 보이고 있다. 건축 분야는 연 수입이 5천만 원에 육박하는 데 비해서 사진, 미술, 문학 분야는 턱없이 낮다는데 문제의 심각성이 있다.

특히 가슴을 먹먹하게 하는 수치는 문학인의 연 수입이다. 214만 원. 그러니까 문학을 전업으로 작가는 한 달 수입 18만 원으로 살아간다는 것이다. 예술인 평균 수입인 1,255만 원에도 훨씬 못미치는 수입으로 연명해야 하는 문학인의 빈한한 삶을 엿볼 수 있어서 가슴이 아팠다.

우리 지역 예술인 가운데 약 40%가 미술과 문학 영역에서 활동하고 있다고 한다. 적지 않은 예술인들이 버거운 밥벌이를 하면서도 창작의 끈을 놓지 않고 있음을 알 수 있다.

흔히 문학은 문화예술의 주춧돌이자 토대라고 말한다. 텔레비전이나 영화 시나리오도 문학이며 연극과 오페라 대본도 문인들이 쓴다. 문학이라는 기초예술이 튼튼해야 다른 예술도 융성해진다는 것은 충분히 검증된 사실이다. 그럼에도 문학위기론은 사라지지 않는다. 이는 사람들이 문학책을 읽지 않는다는 사실을 근거로 한다. 또한 스마트폰 사용과 인터넷의 발달은 새로운 문화장르를 생산하면서 기존의 문학은 더욱 설 자리를 잃어가고 있다. 더욱이 근자에 발생한 표절과 문학권력 파동을 겪은 후 한국문학은 죽었다고 단언하는 말까지 나오고 있는 형편이다.

한 도시의 문화적 역량을 가늠하려면 그 도시를 대표하는 교향악단의 수준을 보면 된다는 말이 있다. 역사와 전통을 자랑하는 오케스트라는 그 도시에 사는 음악애호가들과 시민들의 끊임없는 애정과 관심으로 성장하기 때문이다. 문학도 마찬가지 아닐까. 시민들이 문학을 사랑하고 문학을 가까이 할 때 문인들도 더욱 예술혼을 불태우고, 뛰어난 작품도 탄생될 수 있을 터이다. 그럴 때 품격 높은 문학의 도시, 문향(文鄕)이라는 수식어가 붙는다. 이러한 맥락에서 지난해 말 문학진흥법의 통과로 '국립한국문학관' 건립이 추진되고 있음은 위축된 한국문학의 지평을 확대할 수 있는 좋은 기회다. 한국 근현대문학 100년의 역사를 수집, 보존, 관리, 교육하고 창작 활성화와 문인 양성에 관한 체계적 구상이 기대된다.

이 한국문학관을 유치하기 위한 지자체의 경쟁이 뜨겁다. 모두 문향이라는 점을 부각시킨다. 강릉, 춘천, 파주, 군포, 서울 은평구 등 10곳이 넘는 지자체가 유치전에 뛰어들었다. 뒤늦게 군산과 대구도 시민단체를 중심으로 유치 촉구 여론이 일어나고 있는 중이다.

그러나 광주와 전남은 지자체에서도 말이 없고 지역 문학단체에서도 이렇다 할 움직임이 없다. 한때 한국문학을 호령했던 숱한 시인과 작가를 배출한 문향이었던 우리 지역에서 한국문학관을 유치하자는 목소리조차 나오지 않고 있는 것이다. 지리멸렬한 나머지 답보상태에 빠져 버린 광주문학관 건립 문제 하나 해결하지 못하고 있는 실정을 감안할 때 국립문학관을 유치하자는 주장은 언강생심일까?

다형 김현승과 용아 박용철의 문학이 활짝 꽃을 피우고, 5월 문학의 튼실한 저수지였던 광주가 문향으로서의 자존심과 그 흔적을 지워서는 안 된다. 진정한 문화도시로 성공하기 위해서라도 예술가 브랜드는 필요하며 문학관 건립은 필수적 요건이랄 수 있다.

문학관 하나 없는 문화도시가 어디 있겠는가. 세계의 유수한 문화도시를 가면 그 도시에서 배출한 문인들을 존경하고 그들의 삶의 흔적을 담은 문학관을 자랑스럽게 여기고 있다. 우리나라도 한국문학관협회에 가입된 문학관만 61곳이 있다. 전남만 해도 참신한 기획력으로 호남권 거점문학관이 된 목포문학관을 비롯해 강진시문학파기념관, 태백산맥문학관, 조태일 시문학기념관, 순천문학관, 담양가사문학관 등이 있다. 우선적으로 광주시의 자발적 의지가 절실히 필요한 시점이며 문학단체의 의견을 수렴하는 것은 그 다음 문제다.

때마침 멀리서 낭보가 날아왔다. 장흥 출신 소설가 한승원의 딸이자 광주의 작가인 한강이 한국인 최초로 맨부커상(Man Booker International Prize) 후보에 올랐다는 소식이다. 이 상은 노벨문학상과 더불어 세계 3대 문학상으로 꼽힌다고 한다.

아직 한국문학은 살아 있고, 광주는 여전히 문향이다.

– 지역문화교류재단, 계간 『창』 Vol. 35, 2016.

지역문화융성, 그 방향은

문화융성의 핵심은 지역문화융성이다

대통령 직속 자문기구인 문화융성위원회는 지난 2013년 8월 광주에서 지역문화현장 토론회를 개최하였다. 문화융성위원회가 설립되고 나서 각 지역이 처한 문화적 현실과 특수성을 문화정책으로 반영하기 위해 전국을 순회하며 여는 행사인데 광주를 가장 먼저 찾은 것이다. 그만큼 문화적 측면에서 중앙이 광주를 보는 시선은 달라져 있다. 대규모 국책사업인 아시아문화중심도시조성사업이 진행 중에 있다는 무게감이 작용한 결과일 터이다.

문화융성위원회는 현 정부의 국정기조 중 하나인 '문화융성' 실현을 위한 구체적 추진전략과 방안을 세우기 위해 출범했다. 따라서 문화융성에 대한 국민의 관심과 참여를 위한 공감대 형성을 중요한 과제로 생각한다. 이를 위해 문화개념의 확대와 문화적 가치의 사회적 확산을 위한 사업들을 전개하고 있다. 그 대표적인 사업이 '문화가 있는 날'이다. 매달 마지막 수요일에 영화관, 공연장, 미술관 등 전국에 있는 문화시설을 할인하거나 무료로 즐길 수 있는 프로그램이다.

또한 지역문화융성 우수사례도 공모하고 있다. 2014년 광주문화재단이 역사문화마을 양림동에서 추진했던 '양림성장형 공공미술 프로젝트'가 우수사례로 선정된 바 있다. 주민 주도로 작가들과 함께 진행했다는 점이 높은 점수를 받았다.

문화체육관광부는 문화융성을 문화가 융성한다는 의미와, 문화를 통해 국가가 융성해진다는 두 가지 의미로 정의하고 있다. 먼저 문화의 융성은 인문, 예술, 콘텐츠, 체육, 관광 등 문화 분야의 역량이 향상되고, 예술가의 창작과 표현의 자유가 보장되며, 시민들의 문화향유권과 문화다양성이 확대되는 것을 말한다. 둘째, 문화를 통한 융성은 문화의 융성이 다른 사회 분야의 발전에 기여하는 것을 말한다.

그러나 문화융성이 현 정부 문화정책의 근간을 형성하고 있다고 해도 지역에서 실현되고 확산되지 않으면 구두선에 그치고 말 것이다. 지역은 생활의 공간이자 삶의 뿌리가 천착된 곳이기 때문이다. 따라서 지역문화융성은 문화융성의 핵심이자 국가 문화발전의 동력임에 틀림없다.

지역문화융성의 실현과 과제

지방문화원진흥법과 문화기본법 그리고 2014년 1월 지역문화진흥법(이하 진흥법)이 마침내 제정됨으로써 지역문화진흥을 위한 3대 기본법은 완성되었다. 법과 제도의 정비에 따른 후속조치로 낙후된 지역문화의 부흥에 대한 기대도 더불어 높아지고 있다. 그러나 지역을 돌아보면 문화현장은 여전히 열악하고 해결해야 할 과제들도 산더미처럼 쌓여 있다.

2012년 10월 광역단위 13개 지역문화재단들이 현안에 대한 정책 대안과 공동대응을 모색하기 위해 결성한 '시·도 문화재단 대표자회의'에서는 현행 진흥법의 한계와 문제점을 지적하고 법 개정을 주장하고 있다.

가장 큰 문제점으로 지적하는 부분은 제1조 목적과 제3조 기본원칙 부분이다. 21세기는 다양하고 고유한 각 지역의 문화의 가치를 발현시킴으로써 진정한 지역문화융성이 가능한 시대임에도 불구하고, 진흥법은 20세기의 지방 균형발전 논리에 근거한 '지역 간의 문화격차 해소'를 목적으로 하고 있다는 것이다. 따라서 진흥법의 목적과 기본원칙은 지역의 다양성과 고유성을 바탕으로 한 '지역문화 분권'과 '지역문화 자치'로 바꿔야 한다는 주장이다.

그러나 중앙에서 보는 지역문화는 문화자치를 하기에는 지역의 기초역량이 부족하다고 판단하고 있다. 문화체육관광부가 5년마다 수립하는 법정계획인 지역문화진흥 기본계획을 보면 지역문화의 문제점으로 가장 먼저 기초역량 부족을 지적하고 있다. 원인은 관 주도의 사업추진과 하향식 정책 추진, 단기적 성과 지향에 길들여져 자율적이며 지속적인 사업 추진이 어렵다고 본다. 또한 지역문화 인력의 서울 및 수도권 집중으로 문화 인력이 부족하고 지역인재 양성 및 활용 시스템이 미비하며 중앙과 지역 간 협력을 위한 문화행정 거버넌스 취약으로 지역 문화정책의 체계적 추진을 위한 시스템 구축의 어려움을 지적하고 있다. 즉 지역의 기초역량 부족이 지역 간 문화 격차 및 문화향유 불균형 현상을 야기하는 것으로 보고 있기 때문에 이의 해소가 진흥법 제정의 목적이라고 말한다.

그러나 이러한 중앙의 관점은 지역의 시각과는 상당한 온도 차이를 느낄 수 있다. 지역에서는 지역 간 문화격차 해소 차원에서 중앙정부 주도로 서울과 같은 수준으로 문화시설을 건립하고 예술창작을 지원하는 것은 지역을 문화융성의 주체가 아니라 객체로 전락시킨다고 본다. 이는 '지역 간의 문화격차를 해소하여 문화 수준을 상향조정하는 균형발전의 관점이냐' 또는 '서울이나 수도권보다는 문화 수준이 떨어지지만 지역문화의 특성과 고유의 결을 살려나가는 문화분권 및 문화자치의 관점이냐' 차이로 볼 수 있다.

지역 간 문화격차 해소 차원에서 시행된 대표적인 사업이 2009년부터 시작된 문화예술진흥기금의 지역협력형 사업이다. 이 사업은 국비와 지방비 매칭 방식으로 시행하고 있지만 이 지역협력형 사업의 확대는 지역을 중앙정부 정책사업의 수탁 사업소로 전락시켜 궁극적으로 지역문화의 다양성을 훼손하는 결과를 유발하고 있다는 것이다. 다시 말하면 정부정책으로 설계하여 모든 지역이 똑같이 시행하는 방식으로 어떻게 지역문화의 특수성이 반영되냐는 거다. 지역협력형사업의 시발점이 정부의 문화정책이어서 지역의 정책결정권은 처음부터 제한적일 수밖에 없는 한계를 안고 있었다는 점이다.

또한 지역문화융성의 실현을 위해서 지역문화재원의 확보는 필수적이다. 그런데 대부분의 지자체들은 재정적자에 허덕여 지역문화의 재정 안정성이 심각하게 위협받고 있는 상황이다. 더군다나 문화예술진흥기금은 2017년 사업예산 편성이 불가능할 정도로 내년이면 기금이 완전 고갈할 예정이다. 진흥법에서는 재원 확보에 관한 지자체의 책무만을 명시했을 뿐, 국가 차원의 지역문화진흥기금 설치나 구체적 재정 확보 계획은 빠져 있어 법의 실효성이 의문

시 된다. 문화 관련 목적세의 신설, 지방세인 레저세의 과세 대상
확대, 담배소비세 등에서 징수하는 (가칭)지방문화세 신설 등 다양
한 지역문화 재원확보 방안을 적극적으로 모색해야 할 것이다.

문화분권과 문화자치의 관점을 존중해야

21세기 문화융성은 문화예술의 변화 및 새로운 트렌드, 소비자
의 취향과 시장변화, 시대적 요청 등에 대한 적극적 대응전략과 새
로운 문화정책의 추진 결과로 나타난다. 이를 주도하는 동력도 문
화예술을 기반으로 한 창의적 콘텐츠로부터 나온다.

이러한 맥락에서 작년 11월 개관한 국립아시아문화전당의 역할
과 기능 속에 21세기 새로운 문화정책의 비전과 문화융성을 주도할
핵심영역이 포함되어 있다. 아시아문화의 창작과 교류의 플랫폼이
자 경계를 가로지르는 융·복합 콘텐츠의 산실이며 기획, 창·제작,
시현, 유통에 이르는 문화콘텐츠 산업 구현을 핵심과제로 하고 있
기 때문이다.

문화융성의 거점 인프라 역할을 해야 할 문화전당은 지역의 문
화융성을 추동할 책무가 있다. 문화융성은 지역에서 실현되고 지역
을 통해 확산되기 때문이다. 따라서 지역과의 긴밀한 소통, 특히 지
역 문화예술계와 협력과 교류를 통해 지역이 문화융성에 능동적으
로 참여할 수 있는 여건 형성과 재정적 지원이 요구된다.

지역문화융성의 방향은 결국 중앙 중심적 사고에서 벗어나 지역
의 다양성과 고유성의 가치를 잘 발현시킬 수 있도록 지역문화의
자율적 발전을 지원하는 것에서 출발해야 할 것이다. 이때 국민의
정부 때 확립된 문화정책의 기조인 "지원하되 간섭하지 않는다"는

팔길이 원칙이 잘 지켜져야 한다. 이러한 방향성을 가지고 지역을 바라보는 시각도 바뀌어야 한다. 중앙의 문화융성정책의 실질적 파트너로 인정하는 문화분권의 관점과 고유한 문화자원이 존재하고 문화민주주의가 구현될 삶의 터전이 지역이라는 문화자치의 관점을 존중해주는 노력이 그것이다.

– 격월간 『대동문화』, 2016. 2.

문화광주 조성을 위한 제언

국립아시아문화전당이 개관을 앞두고

9월 개관을 앞둔 국립아시아문화전당(이하 문화전당)이 뜨거운 이슈로 부상하고 있다. 문화체육관광부가 입법예고한 직제개편안을 두고 지역에서는 문화전당의 위상과 역할에 맞는 인원을 배정하라고 촉구한 것이다. 지난 2005년 국제건축설계경기 공모를 통해 재미 건축가 우규승의 「빛의 숲」이 당선작으로 선정된 지 10년만이고 기공식을 개최한 지 7년 만에 마침내 문화전당이 문을 열게 되었는데 기대보다는 걱정과 우려가 큰 현실이다.

문화전당은 '아시아문화중심도시 조성사업'이 국책사업으로 추진되기 시작한 2004년부터 광주발전을 위한 하나의 아이콘으로 기대를 모았다. 단순한 복합문화시설을 뛰어넘어 광주를 아시아문화중심도시로 결정 지을 강력한 동력으로 간주되었다. 지역의 미래에 대한 염원을 총체적으로 담보하는 상징적 사업으로 각인된 셈이다.

'문화광주'의 모습을 생각할 때 쉽게 떠오르는 이미지가 없다는 지적은 어제 오늘의 일이 아니다. 흔히 문화도시는 문화가 도시의 중심적 기능을 이루는 도시를 말한다. 부산하면 국제영화제가 떠오르고 대구는 뮤지컬과 오페라 등 공연예술의 도시로, 전주는 한옥마을과 소리축제의 이미지로, 그리고 군산, 통영, 부천 등도 차별화된 이미지로 문화도시 조성전략을 추진 중이다.

비엔날레와 디자인비엔날레가 열리고 임방울축제, 미디어아트 페스티벌 등 국제적 행사와 축제가 끊이지 않는 광주임에도 이러한 문화행사들이 문화도시 이미지로 각인되지 못하고 있다는 점은 깊게 고민해야 될 대목이다.

문화도시에 관한 정의들을 살펴보면 대체적으로 미학적인 도시경관과 함께 중요한 부분이 문화소비의 충족 가능성을 언급한다. 도시의 주민들이 얼마만큼의 문화적 생활을 누리며 그에 대한 삶의 만족도는 어느 정도인가의 문제다.

경제 규모가 크지 않은 광주는 문화소비율이 전국 5대 도시 가운데 가장 낮은 편이다. 그러나 문화소비율이 낮다는 점이 문화도시를 결정하는 절대적 기준은 아니다. 광주는 예향의 전통을 비롯한 많은 문화자원들을 가지고 있다. 여기에다 지역의 미래를 견인할 아시아문화중심도시 조성사업이 현재 진행 중이다.

문제는 우리의 대응전략이며 구체적이며 실천적인 방안에 있다. 본 발제는 아시아문화중심도시 광주의 문화적 현실을 진단하고 진정한 문화광주를 조성하기 위한 차별화전략을 어떻게 세워갈 것인가에 대한 제언이다.

결국 문화도시를 만든다는 것은 도시 전체에 문화적 활력이 넘쳐나도록 하는 것이다. 이는 단순히 문화예술 분야에 국한된 것이 아니라 문화를 지속적으로 뒷받침해 줄 도시경영 등이 필수요건이다. 문화가 지역발전의 성장동력임을 인식해서 이를 바탕으로 도시를 어떻게 경영하느냐의 문제다. 그 속에 문화광주로 가는 해법이 담겨 있을 것이다.

아시아문화중심도시 광주의 현실

광주는 예향으로 불리고 광주 시민들은 이 명칭을 자랑스럽게 받아들인다. 일반적으로 예향의 뿌리는 크게 세 가지로 구분한다. 호남의 격조 높은 남도정신을 지탱하는 가사문학과 소치, 미산, 남농, 의재로 이어지는 남종화 전통, 그리고 임방울로 대표되는 남도국악을 꼽는다.

이 예향이라는 문화적 자긍심은 1984년 『월간 예향』이라는 잡지가 창간되면서 대중 담론으로 전화하는 계기를 마련했고 1995년 광주비엔날레 창설은 광주의 예향 이미지에 근거하여 개최됨과 동시에 서로 상승하는 효과를 만들어냈다. 광주비엔날레 창립선언문은 '예향 광주'를 적극적으로 활용하며 비엔날레가 그 역사의 연장이자 확대 발전임을 명시하고 있다.

그런데 20년 동안 '세계 5대 비엔날레'라는 화려한 국제적 위상을 세웠다는 평가가 있음에도 불구하고 광주비엔날레를 대하는 지역민심은 호의적이지 않다. 그동안 정체성 혼란과 지역 사회와의 소통 부족이라는 해묵은 과제를 극복하지 못한 결과다. 최근에 이르러 7대 혁신안을 발표하고 소통을 위한 전면 쇄신작업에 시동을 걸었기 때문에 앞으로 추진상황을 지켜볼 일이다.

그러나 아시아에서 최초로 창설되고 지금도 아시아 현대미술의 흐름을 이끌고 있는 광주비엔날레의 인지도는 광주를 아시아문화중심도시로 향하게 하는 강력한 동력으로 작동하고 있음은 부정할 수 없다.

광주를 아시아문화중심도시로 지향하게 하는 또 하나의 동력은
의향의 역사다. 광주학생운동, 5·18광주민주화운동 등 광주에 내재
된 저항과 자유의 정신은 문화예술이 성장할 수 있는 자율과 개방
성이라는 토양을 제공했다. 또한 아시아 국가들은 공통적으로 식
민, 독재 등 근대화 과정의 아픔을 경험했는데 시민의 힘으로 많은
고통과 시련을 이겨낸 광주의 민주정신은 아시아 각국과 동반자적
신뢰관계라는 연대의 틀을 조성하고 있던 터였다.

2023년까지 특별법에 따라 추진되고 있는 아시아문화중심도시
조성사업은 광주와 한국의 문화지형을 획기적으로 변화시킬 대역
사이다. 개인에게는 문화의 생활화를 통한 삶의 질을 제고하고 지
역에는 문화 분야의 우수한 인적자원을 집중해서 문화예술과 문화
산업 발전을 통한 지역경제 활성화를 기대하게 한다. 그리고 국가
는 국가균형발전의 모델을 창출하며 아시아 내에서 한국의 문화적
위상을 제고하게 되는 발판이 될 것이다.

그 가운데 문화전당은 아시아문화중심도시 조성사업의 핵심시
설이다. '열린 세계를 향한 아시아 문화의 창'이라는 비전을 가진
이 문화발전소에서 생산될 창조적 에너지는 광주와 전국으로, 그리
고 아시아와 세계를 향해 번져갈 것이다.

그런데 문화전당을 둘러싼 기류는 매우 우려되는 상황으로 흘러
가고 있다. 건립 과정에서는 랜드마크 논쟁과 별관 보존 문제로 상
당기간 공사가 중지되었고 그 후에는 콘텐츠 종합계획 논란으로,
개관을 앞둔 최근에는 직제와 운영인력 축소문제로 논쟁의 중심이
되었다.

그러나 광주가 아시아문화중심도시로서의 역할을 제대로 하기 위해서는 소모적인 논란이나 갈등을 키우기보다는 상생을 생각해야 한다. 문화전당을 아시아 동시대 문화예술의 창조 플랫폼으로 자리매김하기 위해서 지역민은 어떤 자세를 가져야 하는지, 그리고 정치권과 광주시가 해야 할 일은 무엇인지를 진지하게 고민해야 한다. 그 속에서 치밀한 대응전략을 세워 중앙과 지역이 함께 성공적인 문화전당을 조성하기 위한 길을 모색해야 한다. 문화전당의 실패는 정부만의 실패가 아니라 광주의 실패이기도 하기 때문이다.

문화광주 조성을 위한 제언

작년에 광주는 문화도시로 한 단계 도약할 수 있는 중요한 변곡점을 맞이했다. 한·중·일 3국의 합작 문화프로젝트인 '2014 동아시아문화도시'로 선정된 것이다. 문화전당 개관을 1년 앞둔 시점에서 결정되었기 때문에 광주가 동아시아 문화융성시대의 주역으로 부상할 호기였다. 매년 3국은 각국에서 문화도시를 선정하고 문화교류와 협력을 해나간다는 계획인데 광주가 이러한 동아시아문화도시 교류의 리더 역할을 담당하게 되면 3국이 합의한 동아시아문화도시협의회 사무국을 문화전당 내로 유치할 수 있을 것이다. 만약 유치에 성공하면 문화전당에 미치는 파급효과는 상당할 것으로 예상된다.

광주는 '제1호 동아시아문화도시'라는 브랜드 포지셔닝으로 지속적인 사업을 발굴해야 한다. 광주가 지향하는 아시아문화중심도시란 아시아인의 주체적이고 자율적인 참여로 아시아 문화와 자원이 상호 교류되는 문화허브도시이자 아시아 각국의 도시와 동반성장의 견인차가 되는 도시를 말하기 때문이다. 그런데 광주시는 이 사업을 올해로 마감한다는 이야기가 들려온다. 참으로 안타까운 일이다. 문화전당이 열리면 가장 먼저 올 사람들은 동아시아문화도시의 문화예술인들이다. 또 그들과 공동제작하고 유통하는 네트워크 및 마켓을 구축할 수 있다. 진정성 있는 문화교류란 일회성으로 끝나는 것이 아니라 지속가능성을 전제로 한다는 점을 강조하고 싶다.

또 작년 말 광주는 '유네스코 미디어아트 창의도시' 네트워크에 공식가입이 결정되었다. 따라서 미디어아트와 연관된 광산업, 영상 문화콘텐츠산업, LED산업 등 기존의 문화산업과 미디어아트라는 예술을 융합해서 새로운 창의산업으로 발전시켜 가야 한다. 현재 구체적인 프로그램 계획안이 용역 중에 있다는데 이 미디어아트 창의도시 사업도 보여주기식 단기 사업으로 끝나서는 안 된다. 지역 발전과 지속적으로 연계시킬 수 있는 장기적 정책으로 발전시켜 광주의 브랜드 가치를 높이고 관광산업 활성화 계기로 삼아야 한다.

7월의 광주하계유니버시아드대회, 9월의 문화전당 개관, 10월 광주디자인비엔날레와 국제디자인총회 개최를 통해 광주의 도시브랜드 가치는 급상승될 것이 분명하다. 그런데 이러한 국제적 행사들이 지역사회와 어떻게 소통하고 지역의 발전과 어떻게 연계시킬 것인가를 생각하면 고민이 앞선다. 광주비엔날레에서 경험했듯이 우리는 글로벌한 프로젝트를 지역발전으로 환치하는 데 성공한 사례를 갖고 있지 않기 때문이다.

글로벌한 문화브랜드를 통해 새로운 비즈니스 모델을 창출하는 것이 문화산업의 국제적 트렌드다. 광주는 이러한 맥락에서 볼 때 얼마나 여건이 좋은가? 그럼에도 이 기회들을 지역발전과 연계시켜 새로운 발전 모델을 만들지 못하고 있는 현실이다.

그런데 프랑스 리옹의 사례는 우리에게 시사하는 바가 크다. 리옹은 매년 열리는 '빛의 축제'를 도시의 대표축제라는 최고의 문화상품으로 키워 미디어아트 분야로 유네스코 창의도시 네트워크에 세계 최초로 가입한 도시다. 도시전체의 야간 조명을 미디어 파사드 등 공공디자인을 통해 예술작품으로 만들자 야경을 보러 온 관광객으로 도시는 넘쳤다. 그러자 리옹은 도시발전 전략차원에서 파격적인 예산투자로 조명산업 등 관련 문화산업 육성책을 동시에 진행했다. 더불어 인재양성 시스템을 구축하고 문화 거버넌스를 위한 민관협력 네트워크도 활발하게 전개한 것이다.

문화도시를 만드는 핵심은 창조성과 개방성, 다양성 등이다. 이러한 가치들을 가장 많이 내재한 사람들을 창조계급이라 부른다. 문화예술인, 문화기획자, 창의적 아이디어맨들이다. 이들을 문화도시 만드는 일에 적극 개입시켜야 한다. 더불어 시민의 문화적 욕구에 기인한 자발적 참여와 소통을 가로막아서는 안 된다. 광주의 문화행정은 아직도 관 주도형 모델에서 벗어나지 못하고 있다. 행정은 다양한 문화담론과 대안을 모색할 수 있는 공론의 장과 여건을 만들어주면 된다. 여기에다 창조적 혁신을 성취하려는 단체장의 강력하고 일관성 있는 리더십이 요구된다. 단체장이 바뀌면 문화정책도 함께 바뀌어 버리는 후진성은 중단 되어야 하기 때문이다.

우리는 그들에게 무엇을 보여줄 것인가

2013년 12월 아시아문화중심도시추진단이 일반국민과 광주시민을 대상으로 실시한 설문조사 결과를 보면 국민의 문화전당에 대한 인지도는 매우 낮다. 국민 26.5%만이 문화전당에 대해 들어본 적 있다고 답하고 있다. 물론 지금 시점에서 조사를 하면 더 높은 통계치가 나올 것이다. 그러나 인지도가 크게 늘었을 것으로 예상하기는 어려울 것 같다. 국민의 관심을 확 끌 만한 매력적인 요소를 찾기 어렵기 때문이다. 콘텐츠에 대한 일반적인 평가는 이른바 킬러콘텐츠나 메가 이벤트가 보이지 않는다는 점이다.

그러나 콘텐츠에 대한 불만과 비판으로 시간만 보낼 수는 없다. 문화전당을 지역발전의 진정한 성장 동력으로 인식한다면 지금 우리가 무엇을 준비할 것인가를 냉철하게 점검해야 한다. 가장 먼저, 문화전당 방문객을 유인할 유인책을 세워야 한다. 전당에 무조건 사람이 많이 오게 만들어야 한다. 그러나 전당에 오는 사람은 전당만 보려고 오지는 않는다. 광주도 보려고 한다. 그러면 우리는 그들에게 무엇을 보여줄 수 있는가?

오늘날 문화적 활력이 넘치는 문화도시들은 대부분 문화프로그램을 통한 도시재생으로 성공했다. 문화예술인과 문화기획자들을 유치해서 도시재생에 참여토록 했으며 주민들이 주도하고 행정은 적극적으로 지원하는 형태였다.

전당 주변지역을 활성화해야 한다. 빈 건물이나 빈 점포는 문화적 자원이라는 인식으로 접근하고 전당과 가까운 광주의 근대문화유산의 보고 양림동과 동명동 골목길, 대인예술시장, 예술의 거리에 보다 정교한 스토리텔링의 옷을 입혀야 방문객이 찾아온다.

이를 바탕으로 전당을 중심으로 한 도보 투어코스를 개발해야 한다. 요즘 인기 있는 여행은 예술적 감흥과 오감을 활용한 체험요소를 결합하는 방식이다. '와서 보고 머물고 체험해서 가져갈' 프로그램을 요구하는 것이다.

　문화전당 개관은 광주시민에게 큰 도전을 주고 있다. 문화도시 시민다운 문화마인드와 행동양식을 요구한다. 이는 문화적 품격이 있는 도시를 조성하기 위한 필수적인 전제조건이다. 그리고 행정기관은 주민주도형 민관협력이라는 추진 프로세스를 항상 생각할 것을 성공한 복합문화시설 사례를 통해 말해준다.

　지역발전의 동력이 되어야 할 문화전당이 정치논리에 휘말리면 미래는 암담하게 된다. 이 거대한 문화발전소가 가동을 중단하고 흉물스런 애물단지로 전락한 모습을 상상해 보라. 끔찍한 일이다. 이러한 결과가 오지 않도록 정부와 지역이 서로 상생의 길을 찾는 지혜를 모아야 한다.

– 「광주발전을 위한 심포지엄 발제문」, 2015. 7.

함께 만드는 상생의 길

한 해가 저물어간다. 이맘때 연례행사처럼 다가오는 것이 송년회다. 그런데 먹고 마시는 송년회보다는 영화나 공연을 단체로 관람하는 '문화송년회'로 대체하는 것이 이제 낯선 풍경이 아니다. 요즘에는 한 걸음 더 나아가 작은 공연장에서 오붓하게 프로그램을 즐기는 모임이 인기라고 한다.

광주에 첫눈 내리던 날 저녁, 구시청 사거리에 있는 '아트스페이스 오르페'에서는 챔버오케스트라 공연이 있었다. 피아졸라의 '부에노스아이레스 사계'의 리드미컬한 선율이 작은 공간을 휘감고 흐르자 부부동반으로 송년회를 만끽하던 관객들은 아낌없는 감동의 박수를 보낸다. 대형유리문을 통해 쏟아지는 눈발을 보면서 귀에 착착 감기는 탱고음악은 상승작용을 일으켜 '문화송년회'라는 멋진 추억을 만들어가고 있었다.

12월에 공연장에서 만난 지역 아티스트들의 작품은 콜라보레이션(collaboration)이 많았다. 그린발레단의 신작발레 「항해」는 발레와 미디어아트가 어우러진 작품이다. 무대 위의 무용수와 그들의 몸동작을 디지털기술로 변형시킨 디지털 이미지가 스크린에 펼쳐지는 퍼포먼스는 새로운 아름다움을 창출했다. 푸른연극마을의 「파우스트」는 연극과 오페라 그리고 챔버오케스트라가 결합해서 복합적인 재미를 느낄 수 있었다. 퓨전국악그룹 아이리아는 국악과 댄스스포츠, 비보이 댄스 등을 잘 버무려서 관객들의 대중문화적 욕망을 반영했다. 또 의상 작업을 해온 아티스트는 사진작가와 만나 예술의 거리 갤러리에서 '패션과 포토그래피 콜라보레이션전'을 보여주었다. 쉽게 볼 수 없던 패션쇼를 친숙한 공간에서 접할 수 있도록 한 기획력이 돋보였다.

최근 공연장에서 콜라보레이션 작품을 자주 볼 수 있는 이유는 관객확보를 위한 다양한 시도로 읽혀진다. 관객들은 좀 더 새롭고 창조적인 것을 갈망하기 때문이다. 각기 다른 장르들이 충돌해서 빚어내는 새로운 매력을 발견하고 싶은 것이다. 이제 콜라보레이션은 공연, 미술, 건축 등 문화예술 전반에 걸쳐 하나의 장르로 자리잡으면서 관객과 쉽게 소통할 수 있는 방식이 되고 있다.

아시아문화전당이 개관된 후, 전당과 연계해서 도시 전역에 문화적 에너지가 확산되는 시너지 효과가 기대된다. 우선 전일빌딩을 비롯해 전당 주변에 산재되어 있는 빈 공간들을 문화적 자원으로 활용하는 구상을 현실화해야 한다. 도심재생사업을 통해 작은 박물관, 갤러리, 창작스튜디오, 레지던스 공간, 게스트하우스 등으로 주변의 낡은 건물들을 새롭게 되살려내야 한다. 전당 주변 구도심이 문화적 공간으로 탈바꿈될 때 전당도 더불어 그 문화적 가치가 극대화될 터이다.

따라서 문화전당과 7대 문화권을 잇는 문화적 도시환경조성사업에 적극적인 관심을 가질 때가 되었다. 문화를 통한 도시재생으로 쇠락해가는 도시에 생기를 불어넣는 사례를 국내외적으로 많이 보았다. 이러한 맥락에서 광주는 전당과 7대 문화권을 연계해서 문화생태계를 조성하는 것이 해법이다. 그런데 7대 문화권 사업을 동시에 진행하기에는 많은 예산이 소요됨으로 우선적으로 전당과 가까운 문화전당권과 아시아문화교류권에 집중할 필요가 있다. 이 권역은 지리적으로나 문화적 관점에서 전당과 연결되어 있는 지역이어서 전당 내방객들이 방문하고 싶은 매력적인 공간이기 때문이다.

아시아의 다양한 문화를 만들고 발산하는 복합문화시설 전당과 전당 주변의 여러 공간에서 예술의 다양한 가치를 창조하려는 지역 예술인들의 열정은 도시에 문화적 숨결을 불어넣는 공급원임에 틀림없다. 그리고 문화적 도시환경조성사업은 도시 전역에 문화적 거점을 확보하는 중요한 일이다.

전당과 지역이 문화생태계 조성을 위해 서로 상생하는 길을 모색해야 한다. 그것이 궁극적으로 광주를 진정한 문화도시로 향하게 하는 지름길이 될 것이다. 그 길은 녹록지 않은 길이지만 을미년 끝자락에 서서 새해 소망으로 삼아본다.

− 〈전남일보〉, 2015. 12. 16.

누가 도시브랜드를 만드는가?

새해의 출발을 신년음악회와 함께하는 사람들이 많다. 새로움과 희망을 담은 신년음악회로 새해 벽두를 여는 지자체나 기업, 단체들이 갈수록 늘기 때문이다.

빈 필하모닉과 베를린 필하모닉 신년음악회는 가장 유명해서 전세계 100여 개 국가에 중계될 정도로 세계의 클래식 팬들을 설레게 한다. 그 덕분에 빈과 베를린은 '음악의 도시', '예술의 도시'란 도시브랜드를 계속 유지하고 있다.

올해도 세계적인 마에스트로 주빈 메타가 지휘한 빈 필하모닉과 21세기 최고의 지휘자로 불리는 사이먼 래틀이 지휘봉을 잡은 베를린 필하모닉 신년음악회가 중계되었다. 거장들이 창조하는 사운드는 가슴을 먹먹하게 하는 감동의 연속이다. 그런데 그 가운데에서도 유독 눈과 귀를 꼼짝 못하게 하는 장면이 있었다. 독일 출생의 92세의 노장 피아니스트 메나헴 프레슬러의 협연이었다.

우리에게 친숙한 이름이 아닌 메나헴 프레슬러. 그는 50여 년간 피아노 3중주단인 '보자르 트리오'에서 활동하다 85세 나이에 솔로로 데뷔했으며 작년에 모든 연주자들의 꿈의 무대인 베를린 필과

협연 데뷔무대를 갖게 된다. 그리고 마침내 2015년 베를린 필하모
닉 신년음악회 협연 연주자로 등장한 것이다. 2012년 내한하여 코
리아심포니와 협연하기도 한 이 전설적인 피아니스트가 연주를 마
치고 30살 아래의 지휘자 사이먼 래틀과 진하게 포옹하는 장면은
한 편의 드라마와 같은 감동을 주었다.

이 '전설의 데뷔'를 연출한 베를린 필을 보면서 우리의 현실을
되돌아본다. 우리 사회는 예술가들의 불꽃같은 삶과 열정을 가꾸고
지원하는 시스템을 갖추고 있는가?

예술가의 삶은 소중한 문화자원이다. 문화예술인을 브랜드화해
지역콘텐츠로 활용하자는 주장이 설득력을 얻는 이유이다. 며칠 전
98세로 국내 최고령 화가라는 하반영 작가의 작품이 전시된 군산근
대역사박물관 장미갤러리를 들렀다. 고향인 군산에 기증한 작품
100점으로 전시회를 연 것이다. 망백(望百)의 나이임에도 순수성을
잃지 않고 작가로서의 자존감을 지키고 있는 자체만으로도 그는 군
산의 문화콘텐츠가 되고 있었다. 어디 그뿐인가? 작년에도 무대에
서 춤을 춘 89세의 '신이 내린 춤꾼' 이매방 선생이나 아직도 목포
에서 현역으로 활동하는 93세의 김영자 화백은 외길 인생의 아름다
움을 보여주면서 고향을 빛내고 있다.

그러나 한국사회에서 예술가의 자존심을 지키면서 한 길을 걷기
란 쉽지 않은 게 현실이다. 누군가 한국인의 삶은 살얼음판을 걷는
것이며 벼랑 끝에 매달려가는 것과 같다고 했다. 아무리 훌륭한 조
건과 실력을 갖춰도, 아무리 성공적으로 적응해온 사람도 한 걸음
만 삐끗하면, 한 손만 잘못 짚으면 끝없는 나락으로 추락하는 곳이
한국사회라는 것이다. 관용과 공존의 가치가 상실되고 오직 경쟁

일변도로 치달은 결과다.

　이러한 비인간적 시스템 속에서 반짝 명멸했다 사라진 예술가들이 부지기수다. 그러나 문화도시, 창조도시를 실현하기 위해서는 그 중심에 예술인이 있어야 함은 물론이다. 도시에 문화와 예술이 자연스럽게 스며 들고 문화적 다양성과 시민들의 자유로운 사고가 넘나드는 사회 분위기는 예술가들이 이끌어가기 때문이다. 도시브랜드의 힘은 순정한 영혼을 가진 예술가의 영감과 창조적 상상력에서 분출되는 것이다.

　작년에 최초의 동아시아문화도시로 선정된 광주는 지속가능한 문화도시가 되기 위한 중장기적인 계획과 전략수립이 요청된다. 따라서 광주가 낳은 예술인들을 브랜드화하는 일은 매우 가치 있는 작업일 터이다.

　위대한 업적을 남긴 양림동 출생의 세 작곡가, 3정(鄭)에 주목해야 하는 까닭이다. 정율성 브랜드에 이어서 이젠 형제 작곡가 정추와 정근 차례. 차이코프스키 4대 제자로 알려진 비운의 천재 작곡가 정추, 그리고 그의 동생으로서 얼마 전 타계한 국민동요 「텔레비전에 내가 나왔으면」과 「둥글게 둥글게」 작곡가 정근은 광주의 자랑스런 문화자산이지 않는가?

- 〈전남일보〉, 2015. 1. 28.

문화정책의 변화는
실천 속에서 존재한다

 최근 광주문화재단의 새로운 수장이 재단의 경영비전과 정책방향을 제시하는 기자간담회를 열었다. 그 자리에서 새 대표는 정책연구 중심으로 핵심기능을 전환하고 재단의 정체성 확립과 기금 확보 등을 주요 정책방향으로 내놓았다. 그런데 따지고 보면 이러한 방향은 새삼스러운 내용들이 아니다. 중장기발전방안 용역에 늘 나오는 단골메뉴이며 임원이 바뀔 때마다 언급되는 내용이다. 그럼에도 불구하고 왜 반복적으로 거론되는가? 한마디로 실천이 안 되기 때문이다. 또는 실천하기가 그만큼 어렵기 때문이다. 재단의 사업 내용이나 정체성, 기금은 모두 100% 운영비를 지원하는 광주시와의 관계 속에서 결정된다. 재단 독자적으로 해결될 문제가 아니라는 뜻이다. 그렇기 때문에 새 대표의 발언이 선언적 맥락으로 해석되는 이유이다.

 창설 20주년을 맞은 광주비엔날레가 얼마 전 폐막했다. 이번 비엔날레는 본 전시가 시작되기도 전에 터진 '세월오월' 사태로 큰 상처를 안고 출발했다. '아시아를 대표하는 현대미술 축제' 혹은 '세계 5대 비엔날레'라는 화려한 수식어가 따라다니는 국제적 위상에도 불구하고 정체성 혼란과 지역 미술계와의 소통 부족이라는 해묵은 과제가 어김없이 화제가 되었다. 지역사회의 외면을 받고 있는 광주비엔날레가 어떤 방향으로 정리될지 개혁과 혁신을 명분으로 구성된 비상대책위원회의 앞으로의 활동내용이 주목된다.

4년째인 문화재단이나 20년 역사의 비엔날레 모두 정체성 문제에 직면해 있는 것이다. 다시 말하면 독립성과 자율성 문제를 공통적으로 공유하고 있다. 독립성을 확보하기가 이토록 어렵단 말인가? 그렇다. 어렵다. 자생력을 갖추지 못한 구조적 취약점을 안고 있기 때문이다. 예산과 인력의 문제다.

얼마 전 비엔날레에서 광주시장이 당연직으로 맡고 있던 이사장직을 물러났는데 '이는 자율성을 보장해주려는 조치다'는 코멘트가 나왔다. 시장만 물러나면 자율성이 획득되는가? 조직과 예산을 총괄하는 사무처장을 비롯한 공무원이 전체 인력 38명 중 13명이나 되는데도 말인가?

민선6기 문화정책의 새로운 변화가 기대되는 시점이다. 변화와 혁신은 초창기에 전격적으로 단행해야 성공 확률이 높다. 좌고우면하면서 이리저리 재고 만지작거리기만 하면 이루어질 수 없는 문제다. 더군다나 문화 영역은 다른 분야에 비해서 항상 우선순위에서 뒤처지는 게 현실이지 않는가?

문화정책의 변화에서 큰 가이드라인은 시민중심, 삶의 질 제고, 문화 생태계 반영 등이 될 것이다. 이러한 방향으로 지역문화정책의 기본계획이 세워져야 한다. 이는 지역공동체 발전에 초점을 맞춘 문화정책의 전환을 전제로 한다.

먼저 대형 인프라 구축이나 대규모 축제, 이벤트 중심에서 시민의 일상적 삶의 공간을 문화적으로 회복하는 창조적 마을만들기 사업에 방점이 찍혀야 한다. 문화의 실핏줄이 중요하기 때문이다. 그런데 이 사업의 성패는 주민들의 자율적이고 적극적인 참여에 달려 있다.

지난 10월에 열렸던 '2014문화의 달' 행사의 핵심사업이었던 '전국청년문화기획자대회'의 행사 가운데 광주의 95개 행정동 별 문화기획 우수사례를 공모하는 내용이 있었는데 결과는 예상했던 것보다 참여가 적었다. 마을을 창조적으로 변화하고자 꿈꾸는 문화기획자들을 발굴해보자는 취지였으나 아직은 여건이 성숙되지 않았음을 확인했다.

살고 있는 마을과 동네의 문제점을 스스로 찾아 해결방안을 모색하는 문화기획자들 이른바 창조계급의 창의성이 문화도시를 만드는 소중한 자산이다. 광주가 추진하고 있는 아시아문화중심도시 조성사업의 핵심은 내년 개관하는 국립아시아문화전당과 도시재생이다. 오늘날 세계의 이름난 문화도시들은 문화프로그램을 통한 도심재생으로 성공했다. 문화예술인 등 창조계급의 유입, 주민들의 자발적 참여와 창의성 발현, 건물과 골목의 원형 유지, 주민의 경제적 생활에 대한 배려, 공공영역의 확보 등을 이끌어냈기 때문에 가능했다. 광주 근대문화유산의 보고인 '양림동 역사문화마을조성사업'에서 느끼는 허전함은 바로 주민들의 자발적 참여와 문화예술인의 창조적 융합의 미진함에서 비롯되고 있는 터이다.

다음으로 문화정책의 변화에서 중요한 맥락은 행정 중심에서 시민 중심, 전문가 중심으로의 획기적 전환이다. 지금은 지나치게 관(官)주도적이다. 관에서 문화를 기획해서 직접 시행하거나 문화재단 등의 통로를 통해 예술가와 시민에게 공급하는 형식이다. 행정 관료가 문화를 주도적으로 해석하고 시혜적으로 공급한 반면에 세계의 문화도시들은 관은 단지 후원하고 문화예술 생산자를 포함한 시민들의 문화 해석과 자율적 실천을 중요시 하고 있다.

올해 광주는 일본의 요코하마, 중국의 취안저우와 더불어 '2014 동아시아문화도시'로 선정됐다. 아시아 동시대 문화예술의 창조 플랫폼을 지향하는 아시아문화전당의 내년 개관을 앞두고 아시아의 대표적 문화도시로 부상할 수 있는 절호의 계기를 맞이한 셈이다. 취안저우는 이 동아시아문화도시라는 브랜드를 통해 도시를 홍보하고 문화도시로 웅비하기 위해 엄청난 예산을 투자하고 있는 중이다. 일본의 대표적 창의도시인 요코하마도 문화예술에 대한 투자를 늘려 다양한 사업을 진행 중이다.

그런데 우리는 어떤가? 이 사업을 추진할 기구로 재단법인을 발족시켰지만 상근인력은 파견공무원 5명과 통역 2명이 전부다. 동아시아문화도시의 의미와 미래가치를 제대로 인식하지 못하거나 경험이 없는 관료들로 사무국이 구성되었다. 예산도 개폐막 행사와 축하공연을 위한 최소한의 규모다. 애초부터 2014년 이후 매년 지정되는 동아시아문화도시와의 협력 프로그램을 운영하기 위한 전략 수립도 하지 않은 채 단년도 사업으로 계획안이 수립되었고 내년에는 다른 법인과 통폐합될 운명이라고 한다. 광주가 동아시아 문화융성시대의 주역으로 부상할 절호의 찬스를 스스로 팽개치려는 것이다. 전문가 집단과 공론화 과정도 거치고 않고 관 주도로 사업을 해석한 결과다. 참으로 안타까운 현실이 아닐 수 없다.

한·중·일 3국의 동아시아문화도시 사업을 광주가 주도적으로 이끌고 간다면 동아시아 문화교류 협력시대의 리더로 자리매김 되는 것은 어려운 일이 아니다. 더불어 지속적인 사업을 발굴해야 한다. 진정성있는 문화교류는 지속가능성을 전제로 하기 때문이다. 그리고 그 중심에는 광주의 문화적 역량을 집중할 문화전문가들과 시민들이 자리 잡아야 한다. 관은 지원만 하되 간섭하지 않는다는 김대중 정부 때 만든 문화정책의 기조인 '팔길이 원칙'이 아직도 지켜지지 않는 점이 녹록지 않는 우리의 현실을 반영하고 있다.

11월 중에 광주는 '유네스코 미디어아트 창의도시' 가입여부가 결정된다. 만약 가입이 확정된다면 광주는 문화도시로서 한 단계 도약할 수 있는 변곡점을 맞이할 것이다. 도시발전 전략차원에서 관련문화산업을 육성하고 여기에 미디어아트라는 예술이 융합하면 도시의 경쟁력은 한층 더 강화된다.

미디어아트 창의도시의 모델은 프랑스 리옹이다. 이 도시는 미디어아트 분야로 유네스코 창의도시 네트워크에 가입한 최초의 도시로 세계 미디어아트의 중심지이다. 미디어아트와 지역의 발전을 연결해서 미디어아트 창의산업 발전을 위한 확고한 정책을 전개하고 있다. 더불어 창의산업 발전을 위한 휴먼웨어인 인재양성 시스템을 구축하고 문화거버넌스를 위한 민관협력 네트워크의 형성도 활발하다.

비엔날레 개최, 동아시아문화도시 선정, 국립아시아문화전당 개관, 여기에다 유네스코 미디어아트 창의도시 가입까지 결정된다면 광주라는 도시브랜드의 가치는 상승될 것이 분명하다. 그러나 우리 지역사회와 어떻게 소통하고 지역의 발전과 어떻게 연계시킬 것인가를 생각하면 고민이 앞선다. 광주비엔날레에서 경험했듯이 우리는 글로벌한 프로젝트를 지역발전으로 환치시켜 성공한 사례를 갖고 있지 않기 때문이다.

　이제 글로벌과 지역(로컬)의 중요성을 동등하게 인식하는 글로컬(Glocal)정책을 뿌리내려야 할 때다. 국제적 프로젝트를 우리 지역의 가치로 새롭게 발전시켜가야 한다. 글로벌리즘(Globalism)이 가지고 있는 장점을 최대한 이용해서 로컬의 발전을 제시하는 개념이다. 로컬산업의 발전이나 로컬아티스트 육성책은 이러한 개념에서 필수적이다. 그런데 그동안 광주비엔날레는 세계화, 국제화 과정을 거치는 동안 함께 발전할 부분인 지역과의 관계에서 소통과 조화를 이루지 못했기 때문에 질책을 받은 것이다.

　글로벌한 문화 브랜드를 통해 새로운 비즈니스 모델을 창출하는 것이 문화산업의 국제적 트렌드다. 광주는 이러한 맥락에서 얼마나 여건이 좋은가? 그럼에도 이 기회들을 지역발전과 연결시켜 새로운 발전 모델을 만들지 못하고 있는 현실이다. 여러 이유가 있겠지만 시민의 일상적 삶과 유리된 관 주도형 문화행정의 결과임을 피할 수는 없을 것이다.

　민선 6기는 그 어느 때보다 시민의 역할을 강조하고 있다. 따라서 문화정책 변화의 중심에는 시민의 문화적 욕구에 기인한 자발적 참여와 소통이 있어야 가능하다. 백가쟁명식의 다양한 의견들이 분출되고 수렴되는 시스템을 만들어야 한다. 문화도시를 만드는 바탕인 문화적 다양성, 개방성, 창의성을 가로막아서는 안 되기 때문이다. 행정은 문화를 도식적으로 재단해서는 안 된다. 다양하고 건강한 문화담론과 대안을 진지하게 모색할 수 있는 공론의 장을 만들어줘야 한다. 여기에 창조적 혁신을 성취하려는 단체장의 강력한

리더십이 요구된다. 문화정책의 변화는 그럴듯한 말이 아니라 오로
지 실천 속에서 존재할 뿐이다.

- 월간 『산학협동인포』, 2014. 11

광주 공연예술의 부활을 위한 기회

지난 9월 일본 요코하마에서 열린 2014 한·중·일 예술제는 동아시아 공연예술의 미래와 발전가능성을 탐색한 의미 있는 행사였다. 아울러 중국의 취안저우, 일본의 요코하마와 함께 만들어가는 동아시아문화도시 사업의 본질은 문화교류에 있음을 확인했던 무대였다. 그렇다면 지속적인 문화교류를 위해서 흔히 문화교류의 꽃이라고 부르는 공연예술을 어떻게 발전시켜 갈 것인가가 매우 중요한 과제로 떠오른다.

한·중·일 3국의 문화교류의 역사는 길고도 넓다. 한문이라는 공통 문어(文語)를 매개로 의사소통 수단과 문화적 감수성을 공유했던 터였다. 직접 만나서는 필담으로, 헤어져서는 편지로 소통했다. 특히 18세기 조선의 지식인은 적극적인 태도로 중국과 일본의 지식인들과 교류의 물꼬를 텄고 서신왕래로 그 만남을 소중히 가꿔나갔다. 연행사 또는 통신사의 일원으로 중국과 일본으로 건너가서 한두 차례 만났을 뿐인데도 그 만남은 동료와 후배 그룹으로 확산되어 오랜 세월 교류의 네트워크로 작동했다.

학술과 문화의 장으로 확장된 소통의 교류사는 19세기 말 일본의 제국주의적 탐욕으로 변질되고 왜곡되었다. 신뢰는 무너지고 존중의 정신도 사라졌다. 그러나 20세기 후반부터 유럽과 미국의 헤게모니가 약화되자 아시아의 잠재력과 가치가 새롭게 부각되면서 아시아의 문화적 다양성과 풍요로움으로 새로운 커뮤니티를 만들자는 공감대가 서서히 형성되었다. 동아시아문화공동체는 그러한 역사적 맥락을 가지고 탄생한 것이다.

음악과 춤은 언어의 장벽을 넘어선 공통의 언어다. 올해 동아시아문화도시사업이 본격화되면서 광주의 공연예술이 중국과 일본의 무대에 당당하게 진출할 수 있는 토대가 마련되었다. 지금까지 평가는 대체적으로 긍정적이다. 취안저우시는 우리의 창작무용에 놀라면서 다시 초청하고 싶다는 의사를 보였고 요코하마에서는 우리의 전통국악 연주에 감탄사를 연발했다. 금년만 해도 앞으로 몇 번의 공연교류 행사가 남아 있다. 따라서 중국과 일본의 무대에 서는 광주의 아티스트들은 점차 많아질 터이다.

이제 지속적인 공연예술의 교류시대를 맞이하면서 이 기회를 한때 연극과 무용으로 전국을 호령했던 광주 공연예술의 부활을 알리는 출발점으로 삼아야 한다는 현장의 목소리에 귀를 기울일 때다. 그 부활의 시작은 어디에서 비롯되어야 할까? 광주문화예술회관이다. 광주 공연예술을 상징적으로 대표하는 공간이며 7개의 시립예술단을 상주단체로 운영하고 있기 때문이다. 그러나 유감스럽게도 운영 시스템은 20년간 광주시 산하 사업소 형태 그대로다. 실정이 그러하니 작품을 제작할 수 있는 프로덕션 기능을 갖출 수 없다. 기획공연보다 대관공연의 비중이 월등히 높을 수밖에 없는 구조다.

개방형 관장제나 책임운영기관제, 재단법인체제 등으로 진즉 운영방식을 바꾼 타 지역 사례를 들을 때마다 자괴감을 느낀다는 지역예술인들이 많다. 전문 공연장 인프라 확충은 차치하더라도 유일한 1,700석 공연장으로서 문예회관의 무대시설이나 운영방식 등은 획기적인 개선이 요구된다.

시급히 개방형 관장제를 도입해서 효율적인 경영과 전문적 운영으로 공연장의 품질과 경쟁력을 제고시켜야 한다.

내년 9월 개관되는 국립아시아문화전당의 아시아예술극장은 아시아의 유명 극장이나 페스티벌과 공동제작 및 유통네트워크 시스템을 구축 중이다. 이러한 공연기획과 제작을 위해 예술감독제를 운영하고 있음은 물론이다. 이번 한·중·일 예술제가 열린 요코하마 가나가와예술극장도 2011년 개관 때부터 예술감독제를 도입하고 있다.

아시아예술극장에서 국제적인 예술가들이 만든 개관작품들이 속속 선을 보이는 순간 광주는 아시아에서 가장 주목받는 공연예술 메카로의 부상이 예상된다. 그때 광주의 공연기획력으로 만든 작품들이 광주문예회관 무대에 선다면 선의의 경쟁을 통한 시너지효과는 기대해도 좋을 것이다.

- 〈무등일보〉, 2014. 10. 7.

문화기획자의 길

얼마 전 세상을 떠난 강준혁 선생에게는 '국내 1세대 문화기획자'라는 수식어가 붙어 다닌다. 선생은 홀연히 우리 곁을 떠났지만 선생이 남긴 명문장 '기획자의 길'은 여전히 깊은 울림으로 후배 문화기획자들을 일깨우고 있다.

"예술을 사랑하라, 그리고 예술가들을 존중하고 아껴라. 자신의 기획이 예술을 훼손시키고 예술가를 소모시키는 일이 되지 않게 하라. /(중략)/ 대중과 목마름을 같이 하라. 대중의 취향을 탓함은 대체로 질적인 면에서의 결함이나 홍보의 실패를 감추려는 짓이다. …(생략)"

이 글은 1997년경 선생이 문화기획 인력을 양성하기 위해 '다움아카데미'를 운영하기 시작할 무렵부터 알려졌다. 오늘의 관점에서 보아도 구구절절 공감이 가는 글이다. 이는 문화예술에도 경영인과 기획자들이 필요하다고 역설하면서 기획자가 갖춰야 할 가치관과 책무를 간결한 문장으로 표현한 것이다. 선생의 타협할 줄 모르는 열정은 후학 교육으로 이어져 추계예술대에 국내 최초로 예술경영대학원을 만들고 이후 성공회대 문화대학원을 개설하게 된다.

강준혁 선생은 우리의 예술현장에 문화기획이라는 씨를 뿌린 개척자였음에 틀림없다. 선생 덕분에 '문화기획자'라는 타이틀이 세상에 널리 알려지게 되었기 때문이다.

오늘날 문화기획자는 문화매개자로서 그 의미가 더욱 확장되고 있다. 대중과 문화예술을 연결하는 고리 역할을 한다는 개념이다. 또한 정책적으로는 공공문화정책이 실제로 실현되게 하는 사람들이다. 활동영역 부문도 놀랄 정도로 광범위해졌다. 초창기 때는 주로 공연, 전시, 축제, 영화, 음반분야에서 활동했다. 그러나 지금은 공간기획자, 마케팅기획자, 도시기획자, 공동체기획자 등 창의적인 문화프로그램을 기획·설계·분석·평가 영역뿐만 아니라 사회적 기업, 마을 기업, 공유 기업, 커뮤니티 기획과 같은 새롭게 확장되는 공공성의 영역도 문화기획자들의 활동 무대가 된다.

그러나 이들은 고용 등에서 아직도 열악한 여건에 있으며 사회적인 인정도 제대로 대접받지 못한 실정이다. 문화기획자 또는 문화매개자에 대한 정확한 개념과 위상이 정립되지는 못했지만 다행히도 올해 문화기본법과 지역문화진흥법의 개정을 통해 '문화인력'이란 용어로 처음 표기된 것은 늦게나마 위안이 된다. 지난 3월 말 시행된 문화기본법 제10조를 보면 '국가와 지방자치단체는 문화인력의 양성을 위한 기반을 조성하고 필요한 시책을 추진하여야 한다'고 명문화했다.

문화기획자의 가치를 생각할 때 떠오르는 인물이 있다. 1981년 프랑스 미테랑 집권과 함께 입각해서 10년간 프랑스 문화정책을 지휘한 자크 랑(Jack Lang) 전 문화부 장관이다. 우리에게는 외규장각 도서 반환 때 많은 도움을 준 지한파로 알려져 있다. 그는 창작자도 중요하지만 생산된 문화를 교육, 전파하고 가치를 증식시키는 문화기획자의 역할에 주목했다. 문화민주주의와 문화복지의 실현을 염두에 두었기 때문이다. 문화예산을 획기적으로 늘려 많은 문화인프라를 구축하고 사진, 만화, 의상, 요리 등 주변문화를 주류화했다. 또 재즈와 전자음악이 음악학교 정식과목으로 채택된 것도 그의 노력의 결실이었다. 대중의 필요를 읽는 마음과 확실한 문화적 가치관을 가졌기에 가능한 일이었다.

10월에 전국의 청년문화기획자들이 광주로 집결한다. '2014 문화의 달' 행사의 일환으로 전국청년문화기획자대회가 열리기 때문이다. 이미 7월부터 예비포럼을 열고 청년문화기획자의 활동을 확대하기 위한 구체적 사업의 모색에 착수했다. 이들은 대회의 슬로건을 '인심지심(人心地心)'으로 정했다. 기획자의 진정성에 의해서 지역이 바뀐다는 의미라고 한다. 각 지역에서 활동하는 청년문화기획자들을 지역문화융성 시대의 주역으로 부각시키려는 젊은이다운 결기가 느껴진다.

강준혁 선생이 늘 했던 말이 있다. "문화기획자가 살아야 문화가 산다." 좋은 문화기획자를 키우려는 노력은 아직도 진행형이다.

- 〈무등일보〉, 2014. 8. 26.

문화도시와 시민시장

　새로운 시장이 등장했다. 그는 시민운동가 출신 의사다. 그러나 문화예술계에서도 꽤나 이름이 알려진 인물이다. 음악회가 열리는 공연장에서 자주 얼굴을 마주친다. 공연 뒤풀이 장소에서도 아티스트들이나 스태프들과 격의 없이 만나 술잔을 나누기도 하는 문화애호가다.

　선거기간 동안 당선인이 주장한 슬로건 가운데 일상이 행복한 시민의 꿈을 이루겠다는 말이 귀에 들어왔다. 행복한 일상, 광주문화재단이 내건 비전이며 2004년부터 추진하고 있는 아시아문화중심도시 조성사업의 목표이기도 하다. 문화적 상상력과 창조력이 시민의 삶과 일상 속에 스며 들어 살아 있도록 만드는 20년 장기 국책사업은 내년 국립아시아문화전당 개관을 앞두고 공사가 한창이다.

　당선인의 진단에 따르면 광주시민의 일상은 행복하지 못하다. 문화가 흐르는 삶을 살고 있지 않기 때문이다. 문화도시가 되지 못한 이유이기도 하다. 그래서 문화도시로 가는 진정한 길은 시민들이 문화가 있는 삶을 살고 있는가 하는 물음에서 출발해야 한다고 말하고 있다.

문화도시 만들기가 시대의 트렌드가 된 지 오래다. 도시발전전략 차원에서 문화산업을 육성하고 또 한편으로는 지역민의 삶의 질을 향상시킬 수 있는 개념으로 문화를 호명하기 때문이다.

그러나 광주의 문화도시 만들기는 자본을 유치하고 고용을 창출해서 문화인프라를 구축하는 문화산업 중심에 방점이 찍혀 있다. 이 문화산업 우선 논리에 지역주민의 문화적 삶의 질은 자꾸 뒷전으로 쳐지는 느낌이다. 일자리 창출을 최우선 가치로 두고 있는 단체장으로서는 새로운 성장동력으로 떠오른 문화콘텐츠기업 유치에 주력하겠지만 이러한 경제성을 앞세운 관점은 문화적 가치와 충돌하면서 성과주의나 실적주의로 질주한다.

따라서 문화도시의 방향이 관이 주도하는 방식대로 추진되기 일쑤다. 무늬만 민관합동이나 협치이지 실은 관료가 문화를 기획해서 문화예술인과 시민들에게 공급하는 형식이 된다. 또한 소프트웨어나 휴먼웨어 육성 지원보다는 하드웨어의 확충이 우선시 된다.

문화도시의 궁극적 목표는 문화의 향유주체인 모든 시민들이 빈부차별 없이 문화의 가치나 문화적 공감대를 함께 누리는 일이다. 그것이 문화가 있는 삶의 진솔한 모습이다.

새로운 시장은 시민시장임을 내세워 광주를 바꾸겠다고 한다. 양적 성장보다는 시민의 실질적 삶의 질을 우선가치로 생각한다는 말이다. 문화정책에 대해서도 패러다임의 전환이 예상된다. 무엇보다 관은 단지 지원하고 창작자나 전문가, 시민들의 문화해석과 자율적 실천을 존중하며 문화콘텐츠 확충에 중심을 두어야 한다. 이러한 관점에서 비엔날레를 비롯한 대규모 이벤트와 축제들, 문화재단과 같이 공적 서비스를 하는 문화기관, 문화예술회관 등 문화기반시설들은 재구성되거나 변화가 요청된다.

광주를 바꿀 힘은 어디에서 나오는가. 문화를 통해서다. 세계적으로 성공한 문화도시, 창조도시가 말해주고 있다. 이제 문화는 도시재생의 성공사례로서 공간의 질을 바꾸고 지역의 환경과 생태적 조건을 바꾼다. 통영의 동피랑이나 부산의 감천문화마을, 대구의 근대골목에서도 확인했다.

그런데 문화도시를 임기 내에 이루겠다는 발상은 버려야 한다. 문화도시는 도시 전체에 문화적 활력이 넘치는 도시를 말한다. 문화의 실핏줄이 마을 골목길이나 재래시장, 또는 공원과 새벽 산책길 위에 돌아야 한다. 도시의 이미지와 상징, 경관이 문화적으로 변화되어야 한다. 이는 결코 단기간에 성취되는 일이 아니다. 지속성이 중요하다. 오랜 시간 문화가 있는 삶의 축적 속에서 서서히 배태되어 나오는 일이다.

그리고 이러한 문화도시 조성의 실질적 주체는 행정중심보다는 시민 참여를 이끌어내는 시민주도형으로 제도가 바뀌야 가능하다. 우리가 시민시장에 기대를 거는 이유이다.

– 〈무등일보〉, 2014. 6. 10.

영혼도서관의 자서전

지난 6월 27일 땅거미가 내려앉자 사람들이 서울시청의 시민청 다목적홀로 하나둘씩 모이기 시작했다. 90이 넘은 노구의 박형규 목사님도 지팡이를 짚고 사람들 속에 섞여 앉았다. 평생을 교육운 동과 생명평화운동에 헌신해 온 정해숙 전(前)전교조 위원장의 자 서전 출판을 기념하는 모임이었다.

그러나 이날 출판기념회에서 공개된 정해숙 선생의 자서전은 우 리의 통상적인 고정관념을 뛰어넘는 어떤 기품을 느낄 수 있었다. 보통 자서전이란 입신양명한 저자들의 자기과시나 자기합리화가 주류를 이루지 않던가. 특히 선거를 앞둔 정치인들의 자전적 에세 이는 그 정점에 달해 자기자랑으로 도배를 하기 일쑤이다.

그런데 정해숙 선생의 책은 그런 세속적인 것과는 달랐다.

그 흔한 축사나 추천사, 발문 등을 일체 달지 않고 담담하게 자 신의 삶을 되돌아보며 고백하고 있다. 그 속에는 시대의 굴곡을 헤 쳐 온 지혜와 의지가 생명존중 사상으로 귀결되고 있었다.

그러나 고백하건대 나는 그날 책을 받아 보고 하드 커버에 명명 된 '열화당 영혼도서관'이란 활자를 보며 순간 당황했다. 영혼도서관이란 고유명사가 주는 묘한 울림 속에 빠져 허위적거릴 때 나를 구제해준 사람은 도서출판 열화당의 이기웅 대표였다. 그는 축사를 통해 영혼도서관이 갖고 있는 그 웅숭한 의미를 명쾌하게 설명함으로써 나 같은 문외한의 궁금증을 시원하게 풀어주었다.

이기웅 대표는 자서전 쓰기를 제안한다. 그가 말한 자서전은 자기자랑이나 늘어놓는 쓰레기 같은 글이 아니라 평생을 지속적으로 쓸 참다운 자기 고백의 글, 자기 참회의 글을 말한다.

누구라도 '영혼의 도서관'에 등록해서 자서전을 쓰는 순간부터 이전의 삶을 반성하고 깊은 성찰과 깨달음을 통해 인간 본연의 진정성을 터득하게 된다는 믿음이다. 왜냐하면 인간의 마음 한구석에는 진정으로 가치있는, 영적으로 살고자 하는 희구가 있기 때문이다. 일찍이 마르크스도 "사람은 가슴마다 라파엘을 가지고 있다"고 말하지 않았던가.

자서전의 주인공이 고인이 되면 고인이 써온 원고를 정리해서 한 권의 책으로 탄생시켜 영혼의 도서관 서가에 꽂게 된다. 영혼도서관은 자서전을 고인의 '정신의 유골'처럼 보관하고 전시하는 공간이 된다. 기일이 되면 유족들이 찾아와 고인의 자서전을 함께 읽으며 고인을 기리고 자신의 삶도 되돌아보는 기회가 될 터이다. 결국 영혼도서관의 존재가치는 오늘의 삶에 충실하고자 하는 자기성찰이며 죽음이란 삶의 단절이 아니라 다음 세대와 이어지는 과정이다는 것을 보여주는 것이 아닐까.

말이 넘쳐나고 있는 세상이다. 더러는 악취까지 풍기고 있다. 품격을 잃은 말은 글이 되고 책이 되어 세상을 어지럽힌다.

제정신을 가지고 만든 책은 빛을 보지 못하고 독자들의 구매심

리만 파고든 책들은 베스트셀러가 되어 출판시장을 독식하고 있다.

얼마 전 밝혀진 속칭 사재기 관행은 알면서도 쉬쉬해 온 오래된 악습이었다. 우리가 알고 있는 베스트셀러가 됐던 책들의 일부는 이러한 사재기를 통해 인위적으로 만들어지고 우리는 베스트셀러니까 일단 사고 보는 소비 습관이 악순환이 되어 출판의 흐름을 주도한 것이다.

또한 요즘에는 힐링 도서가 잘 팔리다 보니 비슷비슷한 책들이 양산되는 것도 문제다. 인문서나 문학에 대한 관심이 멀어져 가고 있다. 힐링 서적은 잠깐의 위로는 될 수 있지만 근본적 대책이 되지 못한다. 인간의 가치를 다양한 분야에서 깊이 있게 탐구하고 사색하는 책들이 많이 나와야 한다.

무조건 많이 팔리는 책만 펴내려는 상업주의가 판치는 출판계에서 열화당의 영혼도서관 프로젝트는 그 의미가 너무 소중하고 크다.

자서전 쓰기는 어쩌면 상실해버린 우리의 영적 존재가치를 조금씩 조금씩 깨달아가는 과정과도 같다. 여기에는 이름 있는 저명인사나 평범한 사람이나 차별없이 똑같이 느끼는 깨달음이다.

영혼도서관 서가에 꽂힐 나의 영혼의 기록! 상상만해도 멋진 일이 아닌가.

- 〈전남일보〉, 2013. 7. 17.

이주민 문화는
소중한 문화자원이다

대선이 끝난 후 힐링은 우리 시대의 새로운 문화트랜드로 자리 잡고 있다.

새해 벽두부터 소설가 황석영은 상실감에 빠져 있는 48%의 민심을 보듬기 위해 전국을 순회하면서 힐링사인회를 열었다. 영화 〈레미제라블〉이 흥행 돌풍을 일으키자 덩달아 원작소설이 불티나게 팔리는 까닭도 힐링코드와 무관치 않다.

치유와 위안, 공감의 의미를 담고 있는 힐링에 뜨거운 관심이 쏠리는 이유는 그만큼 이 땅에 상처받은 사람이 많다는 것을 반증한다. 세상살이가 갈수록 팍팍하고 힘들어지자 많은 사람들은 힐링을 통해서 위안을 받고 그 속에서 희망의 근거를 붙잡고자 애쓰고 있는 것이다.

힐링을 희망과 동의어로 생각할 때 보다 적극적인 힐링수단은 문화나눔으로 실천된다. 2000년대에 들어와 예술가들은 자신들의 사회적 책임과 역할에 대해 고민하면서 사회공헌활동의 일환으로 문화나눔에 관심을 쏟기 시작했다. 그런데 나눔은 우월한 주체에 의해 베풀어지는 시혜적 성격보다는 하나의 공동체를 구성하는 다양한 주체들 간의 자원공유적 성격이 더 크다.

　이러한 문화나눔의 취지를 실현하기 위한 문화정책은 갈수록 스펙트럼이 확대되고 있다. 경제적 소외계층의 문화활동을 지원하는 문화바우처사업, 베네수엘라의 음악교육 시스템 '엘 시스테마'를 벤치마킹해 저소득층 자녀들의 희망을 키우는 꿈의 오케스트라, 외국인 노동자와 결혼 이민자 등 다문화 주체를 대상으로 한 문화예술교육 등을 꼽을 수 있다.

　문화나눔에 참여하는 예술가들은 자신의 재능으로 어두운 세상에 빛을 밝히고 수요자들은 그 속에서 희망을 발견하고 기뻐한다. 문화나눔을 통해 문화의 다원성과 탈중앙화 그리고 일상문화의 중요성이 강조되며 문화소외계층의 다양한 하위문화가 그 고유의 가치를 표현할 수 있는 창조력을 키우게 되는 것이다.

　광주문화재단은 올해 역점사업으로 문화나눔 사업을 주목하고 있다. 문화카드 발급율과 이용률 2년 연속 전국 1위를 달성한 문화바우처 사업과 광주판 엘 시스테마인 꿈꾸리 오케스트라에 대한 지원강화와 더불어 이주민 문화를 문화다양성을 증진하는 문화주체로 가꾸어 갈 계획이다.

　우리나라는 어느덧 외국인 노동자나 결혼 이민자 등 이주민이 140만 명을 넘어섰다. 이 중 광주에 거주하는 이주민은 약 1만 명 정도로 추정된다. 작년 우리 재단에서는 이주민들을 대상으로 프로젝트를 시행했다. '다모여 문화둘레로' 사업인데 문화체육관광부의 문화다양성 증진사업 공모에 선정된 사업이다. 외국인 노동자 밴드 결성, 이주여성을 대상으로 한 음악교육 실시, 외국인 노동자 체육대회, 이주민과 지역민이 함께 참여한 공공예술 프로젝트, 그리고 탈북 청소년인 새터민 청소년과 지역청소년이 함께 한 문화탐험대 활동 등 8개 프로그램을 운영했다.

　이제 광주에서 살고 있는 이주민들은 지역사회의 구성원으로서 함께 소통하면서 문화다양성을 확산하고 문화나눔 활동으로 지역사회에 공헌하고 있다. 지역민들도 이들에 대해 애정과 관심으로 보답해야 한다. 이주민 문화는 우리의 소중한 문화자원이기 때문이다.

- 〈시민의 소리〉, 2013. 1. 17.

상생하는 문화교류의 길

오랜만에 가족들이 함께 모인 한가위 밥상의 단골메뉴는 단연 대선 민심이 아닐까 싶다. 그러나 지지하는 후보가 달라 서로 말이 안 통하는 불통의 현실과 직면한 적이 있을 터이다. 오죽했으면 언론은 명절날 가족 사이에 갈등이 일어날 가능성이 높은 소재로 대선 후보 이야기를 꼽지 않았던가.

그러다가 화제가 대중문화로 옮겨지면 상황은 반전된다. 조금 전 어색했던 분위기를 뚫고 화끈한 소통과 화합의 장면이 연출된다. 이탈리아 베니스 영화제에서 영화 〈피에타〉로 황금사자상을 받은 김기덕 감독의 라이프 스토리를 말할 때나 세계 음악시장을 강타하고 있는 싸이의 소식을 말할 때는 더욱 그렇다.

특히 전세계 네티즌들의 국민체조가 된 싸이의 말춤은 한가위 차례상을 순식간에 점령해 버린다. 「강남스타일」이 미국 빌보드 차트 2위에 오른데 이어 영국 음반차트 1위를 차지하자 빌보드 1위 등극은 시간문제라는데 쉽게 동의한다. 도대체 싸이의 '말춤 퍼레이드' 종착지는 어디쯤일까. 유튜브 뮤직비디오 조회수는 3억 건을 돌파했으며 지금 이 순간에도 세계 어디선가는 수많은 패러디를 생산하고 있으니 말이다.

K드라마와 K팝에서 시작한 한류 열풍이 어느덧 세계인들의 눈과 마음을 사로잡은 현실을 목도하면서 문화의 패러다임 전환을 다시금 생각한다. 오늘날 세계의 문화는 타문화에 대한 배타적인 입장에서 공존과 상생의 문화로 전환되었다. 문화 주도권을 놓고 경쟁하기 보다는 문화공동체 형성과 발전에 기여한다는 인식의 공유가 필요한 시대이다. 다른 세계관과 가치관을 인정하고 그 다름을 받아들이며 즐길 때다. 한국어로 부른 강남스타일이 영미권 중심의 팝송이나 록음악을 넘어서 세계 정상에 섬으로서 '세상의 모든 음악'이 되는 현실에 우리는 살고 있는 것이다.

아시아문화중심도시를 지향하는 광주는 특별히 문화에 관한 폭넓은 유연성과 개방성이 요구된다. 광주문화재단은 그동안 아시아도시 간 문화교류사업이나 아티스트 레지던스 프로그램 등을 통해 지역 예술인들의 문화교류를 적극 지원해왔다. 최근에는 아시아문화예술인 레지던스 프로그램으로 광주에 온 아시아의 작가들과 지역의 미디어아트 작가들이 1:1로 만나 공동 창작 활동을 펼쳤는데 그 성과가 매우 흥미로웠다. 그 가운데 말레이시아에서 온 청슈잉은 주로 캔버스 작업을 해온 회화 작가인데 "미디어아트라는 새로운 도구를 만나 작업에 대한 사유, 성찰과 함께 내 작업을 돌아보는 계기가 됐다"고 말한다. 언어도 생각도 작업 방식도 다른 두 사람이 만나 서로 충돌하고 융합하면서 고정관념에서 벗어나 다른 시각으로 바라볼 수 있는 가능성을 얻은 셈이다.

우리는 이러한 문화교류의 확장을 위해 세계적인 축제의 도시 스코틀랜드 에딘버러와 손을 잡고 축제를 통한 도시 간 문화교류의 길을 모색하는 축제교류 심포지엄을 열 계획이다. 에딘버러 페스티벌은 65년간 이어져 오면서 오늘날 세계에서 가장 큰 축제로 성장했는데 스코틀랜드 경제에 매년 2억6천2백만 파운드(약 4천7백억 원)이 넘는 효과를 미친다고 한다.

프린지와 국제 페스티벌 그리고 밀리터리 타투가 유명하지만 한 해에 에딘버러에서 열리는 페스티벌은 모두 12개로 그 통합기구 대표와 페스티벌 프린지 소사이어티 대표를 동시에 맡고 있는 케스 메인랜드와 아트 페스티벌의 소르카 캐리 감독, 멜라 페스티벌의 크리스 퍼넬 감독이 광주를 찾는다. 이들은 5일부터 열리는 광주세계아리랑축전 기간 동안에 빛고을 아트스페이스에서 열리는 심포지엄 발제자로 참여하는 것이다.

에딘버러 축제들은 스코틀랜드 지역성을 갖고 있지만 동시에 세계적이다. 또한 국제 아트 플랫폼 역할을 하면서 도시와 지역, 국가 간의 협업을 할 수 있도록 도와주고 있다. 에딘버러는 아시아문화중심도시로 비상하려는 광주의 최상의 모델이 되기에 충분하다. 다만 광주만의 독특한 콘텐츠를 어떻게 확보하여 차별적 매력으로 키워갈 것인가는 온전히 광주공동체의 몫이다.

- 〈무등일보〉, 2012. 10. 5.

세상을 아름답게 만드는 문화나눔

새 밀레니엄의 문을 연 첫 해는 경진년 용의 해로 시작되었다. 세월은 흘러 다시 임진년 용의 해를 맞이한다. 우리나라에서 용은 서민들의 애환을 달래주고 꿈을 실현해주는 상징적 영물이었다. 뿐만 아니라 희망과 용기를 북돋아주는 상징임에도 틀림없다.

지난해 우리 사회를 이끈 핵심 키워드로 맨 먼저 소통과 공감이 떠오른다. 트위터나 페이스북 등 SNS을 활용한 소셜미디어의 성장은 빠른 속도와 경계없는 광범위한 확장성으로 소통과 공감의 영역을 폭발적으로 확산시켰다. 정치, 경제, 사회, 문화 전반에 걸친 SNS의 위력은 가히 무소불위의 힘을 보여주었다. 10·26 서울시장 보궐선거는 최초의 SNS선거라고 말할 수 있을 정도다. 네트워크화된 개인들의 힘이 작동되자 기존의 정치권력의 지형은 손쉽게 무너졌다. 청춘콘서트로 유명해진 안철수 교수는 급기야 대선 여론조사에서 부동의 1위 후보를 끌어내렸다. 인터넷 팟캐스트방송인 '나꼼수' 열풍은 SNS바람과 맞물려 변화의 중심으로 우뚝 섰다.

2011년은 분명 한국사회의 중요한 전환점이 되었다고 말할 수 있다. 올해는 이른바 '선거의 해' 다. SNS의 바람은 더욱 거세게 불

것이다. 60년만에 왔다는 흑룡띠 해의 상징성에 주목하지 않을 수 없는 이유이다.

소셜미디어의 확산은 문화예술계도 예외는 아니어서 문화생태계 전반에 걸친 변화로 이어지고 있다. 이제 문화향유자이자 관객은 보다 적극적인 문화소비가 가능해졌다. 향유와 소비가 쌍방향에서 이루어지면서 수요자가 생산 및 창작과정에 깊이 개입할 수 있게 되었다. 참여를 기반으로 한 이러한 발전은 관객에 의해 주도되면서 예술작품을 공유하고 확산시키는 기폭제 역할을 했다.

그런데 이러한 현상은 예술에 보다 많은 관객을 결합하려는 문화예술단체의 궁극적인 목적과 부합되는 일이다. 예술가와 관객이 직접 소통하고 예술단체는 예술가와 관객 모두를 네트워크로 형성한다. 결국 이 흐름은 문화정책을 이끌어가는 화두가 되어 문화향유자 즉, 수요자에 초점을 맞추는 방향으로 견인했다. 수요자 중심의 정책전환은 이전의 문화예술 지원정책이 한정된 계층에만 혜택이 돌아갔다는 점을 반성하고 문화소외계층에 대한 직접적인 서비스를 확대하는 데 중점을 둔다.

광주문화재단의 정책 방향도 여기에 맞춰져 있다. 문화소외계층의 하위문화가 그 고유의 가치를 표현하고 스스로 발전하도록 여건을 만들어줌으로써 결과적으로 창의력을 높이겠다는 발상이다. 이러한 정책은 '문화나눔'을 통해서 실천되고 있다. SNS 싸이월드의 '일촌' 개념을 확장하여 문화소외계층에게 따뜻한 문화나눔을 펼치고 있는 것이다. 문화바우처 카드사업의 사각지대에 있는 계층에게 공연관람을 지원하는 '모셔 오는 서비스', 장애우와 장애우가족들이 댄스, 풍물, 공예 등을 체험하는 '곰두리 아카데미', 전국 최초의 다문화 가족단위로 구성된 '다문화M오케스트라', 베네수엘라의 엘 시스테마를 모델로 한 '꿈꾸리 오케스트라'가 대표적 프로그램이다. 또한 대인시장 상인들이 뭉친 '상인예술단'이 있다. 상인들이 연기나 춤을 배우고 시장이야기를 담은 대본을 만들어서 마당극 공연을 한다.

주목할 점은 이 문화나눔에 참여하고 있는 예술가와 예술단체는 문화재단으로부터 지원을 받는 수혜자들이라는 사실이다. 이들이 재능나눔 형태로 자신들이 받은 혜택을 다시 나눔으로써 문화생태계 내에 선순환구조를 형성하는 것이다.

문화나눔은 우리 사회 곳곳으로 확산되어야 한다. 따라서 기업의 역할에 크게 주목한다. 최근 기업의 사회공헌활동이 커가고 있는 가운데 문화예술분야의 비중도 점차 늘고 있는 추세이다. 기업의 메세나 활동이나 문화마케팅의 긍정적 측면이 부각되면서 문화예술의 창조적이며 품격 있는 이미지를 기업의 브랜드 이미지로 연계시키려고 하기 때문이다.

문화나눔은 세상을 아름답게 만드는 힘이다. 예술가와 문화예술단체 그리고 기업의 적극적 소통과 공감을 통한 문화나눔은 우리 사회를 환하게 밝힐 희망의 등불임에 틀림없다.

– 〈광주일보〉, 2012. 1. 2.

문화기업, 문화CEO를 찾습니다

　만년필로 유명한 명품 브랜드기업 몽블랑은 매년 '몽블랑 문화 예술 후원자상'을 시상한다. 올해로 20년째인 이 상은 예술가를 직접 후원하는 게 아니라 예술가를 후원하는 사람에게 주는 상이다. 그동안 전 세계 12개국에서 160여 명이 수상의 영예를 안았는데 영국의 찰스 황태자, 스페인의 소피아 왕비, 일본의 오노 요코 등 유명인사도 눈에 띈다. 한국은 2004년 금호문화재단의 고 박성용 회장이 최초로 수상했고 그 후 박영주 이건문화재단 이사장, 김영호 일신문화재단 이사장 등이 받았다.

　올해 수상자는 크라운-해태제과 윤영달 회장이다. 윤회장은 우리 국악의 발전과 세계화를 위해 꾸준히 후원해 온 공로를 인정 받았다. 국악에서 현대미술에 이르기까지 문화예술에 대한 윤회장의 각별한 애정은 경제계에서는 모르는 이가 없을 정도로 유명하다. 그는 또한 지난달 열린 아트광주 조직위원장을 맡아 물심양면의 후원을 아끼지 않았다.

　최근 나는 윤회장을 통해서 아트경영 특히 AQ(Artistic Quotient)경영의 진면목을 확인했다. AQ는 예술가적 지수를 말한다. 종래의 감성지수(EQ)가 예술을 받아들이는 수동적 의미였다면 AQ는 예술작품을 직접 만드는 창조적 능력이다.

경기도 양주시 송추 유원지 인근 100만평에 조성 중인 통합 문화예술 테마파크인 '아트밸리'가 윤회장의 AQ경영 아지트다. 그는 이곳을 골프장으로 만들자는 주변의 끈질긴 유혹을 물리치고 국내 최대규모의 예술공간으로 탈바꿈시켰다. 소수만 즐기는 골프장보다 노인, 장애인들도 쉴 수 있고 고객들과 함께 아름다움을 나눌 수 있는 예술공원으로 만드는 일이 더 가치 있는 일로 생각한 터이다. 회사 임직원들은 소그룹으로 나눠 주말이면 가족과 함께 이곳을 방문해 조각 작품을 직접 만들어도 보고 각종 창의적 아이디어를 쏟아냈다. 그 결과 아트밸리 산자락을 둘러싸고 있는 약 6Km 길이의 산책로 곳곳에 나무와 돌로 만든 예술작품이 탄생했다. 작품을 직접 창조할 수 있는 예술가적 지수가 높은 직원이 좋은 제품을 만들 수 있다는 문화CEO의 경영철학이 생생히 실천되고 있는 현장인 셈이다.

시장경제가 위축되면서 기업들의 문화투자와 후원도 얼어붙었다. 우리 지역의 실정은 더욱 심각한 수준이다. 문화예술단체마다 기업후원이 끊겼다며 심각성을 호소한다. 기업메세나에 공감하여 문화마케팅을 해 온 기업들도 예외가 아니다.

그러나 진정한 문화기업은 경기가 어려울수록 돋보이게 마련이다. CEO가 직원들이 문화적으로 일할 수 있는 환경을 조성하면 문화적 마인드가 충만한 직원들이 만들어내는 아이디어와 제품, 서비스는 결국 회사를 문화적 기업으로 만드는 선순환구조를 형성한다. 중요한 것은 직원들에게 연수나 교육차원의 접근이 아니라 문화적 자극과 체험할 수 있는 기회를 끊임없이 제공하는 일이다. 체험의 반복으로 형성된 AQ라는 창조능력은 고객의 마음으로 확장되고 전염되어 새로운 부가가치가 창출돼 기업성장의 동력이 된다.

후원하고 나눌 줄 아는 문화기업은 크라운-해태제과와 같은 큰 기업에서나 가능할까. 그러나 '아너 소사이어티(Honor Society)'의 경우를 보면 희망의 단서를 발견할 수 있다. 이 모임은 1억 원 이상 기부한 고액기부자들로 구성된 단체이다. 2008년 출범 이래 지금까지 88억여 원을 기부했다고 한다. 그런데 이들은 우리가 아는 재벌들이 아니다. 대부분 자수성가한 중소기업인이거나 전문직 종사자다. 할머니로부터 증여받은 전 재산 1억 원을 기꺼이 기부하고 회원이 된 대학원생도 있다. 이들이야말로 부의 진짜 가치를 터득하여 진정성있는 나눔문화를 실천하고 있는 셈이다.

문화기업의 가치는 기업의 규모보다는 CEO의 마인드로부터 비롯된다. 무엇보다 CEO 자신이 문화를 즐기고 누릴 줄 알아야 한다. 그래야 AQ경영은 아니더라도 직원들과 함께 흔쾌히 공연장과 전시장을 찾게 된다. 깊어가는 가을, 고단하고 팍팍한 지역의 문화예술인을 위해 후원할 줄 알고 나눌 줄 아는 문화CEO를 보고 싶다. 후원과 나눔이야말로 사회발전과 변화를 이끄는 진정한 문화력, 소프트파워가 아닌가.

- 〈광주일보〉, 2011. 10. 10.

프리울리 모자이크와 광주

　지난주에 세계 유일의 모자이크 전문 교육기관인 이탈리아 프리
울리 주립 모자이크 학교를 방문했다. 모자이크 하면 우리에게 낯
설지 않은 장르다. 색종이를 오려 여러 모양을 만들어본 유년의 기
억 때문이다. 그뿐인가. 우리의 전통 조각보도 모자이크 기법과 비
슷하다. 형형색색의 조각천을 잇대어 만든 조각보는 방석이 되기도
하고 책상보가 되기도 했다.

　모자이크가 인류 역사에 처음 등장하게 된 때는 기원전 5세기
경이었다. 주로 황제나 귀족들의 저택을 꾸미는 용도로 사용되었는
데 로마시대에 들어오면서 영국, 프랑스, 스페인 등 유럽 각지 뿐만
아니라 아프리카 대륙까지 전파되었다.

　그런데 그 후 16세기경 베니스에서는 지역주민들이 산 마르코
광장에 모여 강바닥에서 채취한 조약돌로 모자이크를 하기 시작한
다. 성당의 벽면을 또는 광장이나 주택의 벽면을 공동작업을 통해
만든 모자이크로 장식한 것이다. 실제로 모자이크 학교가 소재한
프리울리주 스필림베르고시는 도시공간 곳곳을 아름다운 모자이크
로 채운 전원도시임을 확인할 수 있었다. 다양한 형태의 문양들이

인도에 깔려 있거나 광장의 벽면을 장식하고 주택의 벽면에 보석처럼 촘촘히 박혀 눈길을 사로잡고 있었다.

이러한 역사와 전통을 계승해서 1922년에 프리울리 주립 모자이크 전문학교가 설립되었다. 광장에 모여 모자이크를 만들었던 프리울리 장인들은 이제 학교라는 제도와 시스템을 통해 작가로 대접받게 되고 모자이크는 그림과 조각을 아우르는 제3의 예술장르로 거듭나게 된다. 뿐만 아니라 가톨릭국가인 이탈리아 유명 성당들의 모자이크 복원작업을 체계적으로 진행하는 전문기관으로도 인정받았다.

이 학교의 교과과정과 커리큘럼을 살펴보면 모자이크 장인 양성 전문교육기관의 위상을 느낄 수 있다. 1학년은 그리스 로마시대의 모자이크를 다양한 색상의 대리석으로 재현하고 2학년은 비잔틴시대의 성화들을 스말티라고 하는 불투명유리와 금박을 붙여만든 금조각을 사용하여 모방한다. 그리고 3학년이 되면 마침내 자신만의 창작품을 만들게 되는데 소재도 유리, 스말티, 대리석, 세라믹, 나무, 금속성 재료 등 매우 다양하게 사용한다. 3년 과정을 마친 학생 중 실력이 뛰어난 학생들만 선발되는 스페셜 과정에 들어오면 학교에서 보수를 받으면서 세계적인 작가와 공동작업도 하고 기업에서 주문하는 작품을 제작하게 된다.

현재 프리울리 학교에는 세계 22개국 학생들이 참여하고 있다. 이들이 학교를 통해 모자이크 기술을 습득하고 본국으로 돌아가 모자이크 전파의 전도사가 된다. 이들의 모자이크에 대한 자부심과 사랑은 대단하다. 학교 이사장인 알리도 제루시는 모자이크를 그림으로만 보지 말고 건축의 개념으로 봐 달라며 모자이크는 또한 '영원을 향한 예술(Art for eternity)이다'고 말했다. 모자이크가 재질의 특성상 견고하고 오랜 세월이 지나도 손상되지 않기 때문에 수많은 전쟁과 천재지변을 겪은 후에도 그대로 남아 있어 역사적 사료로도 이용이 되고 있는 점을 강조한 것이리라.

이러한 프리울리 모자이크가 광주와 처음 인연을 맺게 된 것은 2009년 디자인비엔날레 때였다. 모자이크 작품 10여 점이 전시되었고 제작시연도 있어 관심을 끌었던 것이다. 그 후 작년에 제1회 광주모자이크 워크숍이 개최되어 프리울리 모자이크 학교 교수 2명과 지역작가 10여 명이 참여하여 조선시대 민화인 「일월오병도」를 제작했다. 그리고 올해 광주문화재단에서는 7월 1일부터 제2회 광주모자이크 워크숍과 작품전을 열 계획이다. 특히 이번 워크숍에는 프리울리 학교 스페셜 과정에 있는 한국학생도 참여할 예정이다. 앞으로 프리울리 학교와 함께하는 워크숍을 점차 확대해서 우리지역 모자이크 장인들을 양성할 수 있는 기틀을 만들고 이를 바탕으로 모자이크 공방을 운영할 생각도 있다. 그리고 여건이 성숙해질 때 프리울리 모자이크 아시아분교를 최초로 설립할 것이다.

손재주가 뛰어난 광주 작가들의 실력을 감안하면 아시아 최초로 유럽 전통의 모자이크를 도입해서 아시아 시장을 선점하고 고부가가치를 창출하는 공예산업으로 발전할 수 있다고 본다. 이를 향한 가능성을 확인한 프리울리 모자이크 학교 방문이었다.

– 〈광남일보〉, 2011. 6. 10.

세계 속의 광주를 향한 쾌거

5·18민주화운동 기록물이 유네스코 세계기록유산(Memory of the World)으로 등재됐다는 낭보가 전해졌다.

80년 5월 그날의 기억을 운명처럼, 때로는 천역처럼 가슴에 안고 살아왔고 또 그렇게 살아갈 수밖에 없는 광주시민으로서 참으로 가슴이 벅차오르는 감동적인 소식이다.

우리나라가 보유한 세계기록유산은 동의보감, 훈민정음 등 총 9건에 이르지만 5·18 기록물 등재는 남다른 의미를 지닌다. 무엇보다 5·18민주화운동이라는 현대사의 기록물이 유산으로 등재된 것은 처음이기 때문이다. 전대로부터 남겨졌거나 물려받은 유물이 아닌 당대의 광주인들이 일궈낸 피땀 어린 삶의 자취가 지구촌의 기록유산으로 인정받았다는 사실은 기념비적인 업적이 아닐 수 없다.

뿐만 아니라 유일하게 정부지원 없이 지자체와 민간단체(등재추진위)가 합심해서 이뤄낸 쾌거이지 않은가. 그러나 5·18기록물의 유네스코 세계유산 등재는 치열한 경쟁을 거친 통과의례의 기쁨에만 머물 사안이 결코 아니다.

그 의미는 더욱 심오하고 무겁다. 민주·인권·평화의 가치를 외쳐온 광주의 5월 정신이 세계사적 정신유산으로 인정받고 자리매김 됐다는 사실로 귀결되기 때문이다.

또 80년 5월 그날로부터 시작된 광주인들의 처절한 기억이 '세계의 기억'으로 재생됐다는 사실로 수렴되고 있기 때문이기도 하다. 기억과 재생의 교훈적인 반복이 인류 문명사의 발전의 궤적이라면, 광주의 5월정신은 바로 오늘로부터 그 인류정신의 본산의 하나로 영원히 일컬어질 수 있게 된 셈이다. 유네스코 심사위원회도 "광주의 5·18은 한국의 민주화와 80년대 이후 동아시아 국가들의 냉전체제를 해체하는 데 큰 영향을 끼쳤다"고 등재결정의 취지를 밝힘으로써 광주의 5월 정신에 공감했다.

5·18기록물의 세계유산 등재의 의미는 또한 기념비적 상징에만 그치지 않는다. 세계속의 광주로 도약할 수 있는 역동적인 동력원으로 기대되고 있기도 하다. 얼마 전에 개최된 2011광주인권도시네트워크에서 채택된 광주선언의 취지에서 알 수 있듯이 광주는 지금 '글로벌 인권 메카'로 도약할 비전을 꿈꾸고 있다. 따라서 이번 유네스코 기록유산 등재는 광주의 그 같은 글로벌 비전을 실현하는 데 핵심적 역할을 할 것으로 전망된다.

광주시가 역점을 두고 추진하고 있는 UN인권도시 지정사업도 탄력을 받을 게 당연하다. 자유와 평등을 외친 민중항쟁 기록물의 가치를 유엔이 인정했다는 것은 이미 인권도시로서의 정체성을 확인해 준 바나 다름이 없는 까닭이다. 창조도시 비전 실현에도 활력을 부여할 것으로 기대된다. 창조도시가 가치지향적인 시민의식이 도시발전의 동력이 되는 인문도시의 대명사라면, 민주주의를 향해 달려온 시민사회의 역동성을 세계가 인정했다는 점은 창조도시 도약의 자질을 인정받은 셈이다.

  때마침 광주문화재단은 5월 영령과 중동의 재스민혁명으로 희생당한 영령들을 위로하고 인류평화의 메시지를 전파하는 총체극 「자스민 광주」를 제작하고 있다. 이 작품은 재스민혁명의 발원지인 5월 광주정신을 세계화하는 도시브랜드 전략으로 추진 중인데 8월 세계 최대의 공연축제인 영국의 에딘버러 페스티벌에 초청됐다. 바야흐로 광주는 5·18을 통해 세계속의 광주로 우뚝 서고 있는 것이다.

  지금부터 광주는 세계가 인정한 5·18의 가치를 계승 발전시키기 위한 후속조치를 이어가야 한다. 광주 가톨릭센터 내에 5·18아카이브를 설치하고 5·18사적지와 시설물들에 대한 체계적인 보존대책을 수립하는 일이 절실한 이유이다.

- 〈무등일보〉, 2011. 5. 31.

광주공동체의 꿈

황무지를 떠돌아다니는 유목민이자 야만인에 불과한 칭기즈 칸의 몽골제국은 손자 쿠빌라이칸에 이르러 인류역사상 첫 '해가 지지 않는 제국'을 건설했다. 더욱 놀랍게도 이 제국은 12세기 후반부터 14세기 중반까지 무려 150년이나 지속됐다. 그들의 성공비결은 무엇이었을까. 한마디로 요약하면 '꿈'이다. 그들은 한 사람이 꿈을 꾸면 단순한 꿈으로 끝날지 모르지만 만인이 꿈을 꾸면 얼마든지 현실로 만들 수 있다는 신념을 지녔다. 미래를 향한 비전을 함께 지닌다면 얼마든지 세상을 바꿀 수 있다는 걸 알았던 셈이다.

국제과학비즈니스벨트 유치 열기로 온 나라가 뜨겁게 달궈지고 있다.

국비 3조 5,487억 원이 투입되는 초대형 국책사업인데다 3,000여 명의 연구인력과 행정지원인력이 필요하게 돼 인구 5만 이상의 신도시가 조성되는 경제효과를 누릴 수 있기 때문이다. 기업들의 10조 이상 후속투자가 기대되고 특히 대기업이 유치돼 양질의 일자리가 다수 창출 되는 등 시너지 효과도 막대하다.

광주시는 일찌감치 과학적이고 객관적인 논리와 경쟁력을 확보

하고 유치경쟁에 뛰어들었다. 시민사회도 유치 서명운동에 적극 동
참하면서 함께 힘을 모으고 있다. 가장 값싼 부지제공 등 설득력있
는 안을 제시한 상황이어서 좋은 결과가 기대되고 있다. 광주가 제
시한 안은 광주-대구-대전의 3개 내륙도시를 잇는 삼각 과학벨트
안이다. 핵심시설인 중이온 가속기 설치의 필수조건이 지반안정성
인데 광주가 타지역보다 월등히 뛰어난 입지를 가지고 있기 때문에
광주에 본원을 두고 대구와 대전에 제2, 제3캠퍼스를 두자는 주장
이다.

과학기술학계에서도 공감을 표시하고 있다. 일본도 고베 등 5개
지역에 연구소가 분산돼 있다. 독일 또한 전국 전역에 80개의 연구
소가 분산돼 있다. 과학선진국 사례에서 보나 지역균형발전 차원에
서 보나 가장 최선의 안으로 평가받고 있지만 어떤 결과가 도출될
지는 아직은 불투명하다. 국가 성장의 명운이 달린 냉철한 판단이
이뤄져야 할 사안임에도 불구하고 지역 간 정치적 갈등의 양상으로
치닫고 있기 때문이다.

광주에 과학벨트가 유치돼야 할 타당성은 이렇듯 명쾌하지만 필
자는 여기에 덧붙여 문화중심도시 육성 차원에서도 꼭 필요한 일이
라는 점을 거듭 강조하고 싶다. 프랑스의 경우가 좋은 사례다. 프랑
스는 지구촌이 인정하는 문화 강대국이다. 하지만 첨단과학기술의
나라라는 점은 잘 알려져 있지 않다. 프랑스는 과학기술관료가 사
회의 중심이 되는 근대화 모델을 처음 만든 국가다. 루이 14세 시대
에 만들어진 프랑스 과학아카데미는 연구자들이 왕실로부터 급료
를 받음으로써 최초의 직업과학자 양성 시스템으로 기록되고 있다.
실용적 기술을 개발하는 엔지니어라는 용어 또한 프랑스에서 처음

만들어졌다.

　프랑스 문화의 바탕에 첨단과학문명을 향한 왕성한 욕망이 존재하고 있다는 사실은 우리에게 많은 시사점을 안겨준다. 과학기술문명이 문화의 성장을 강렬하게 견인한다는 실질적인 사례를 확인할 수 있기 때문이다.

　물론 과학과 문화의 개념을 규정하는 광의의 틀에서 보아도 충분히 공감할 수 있는 문제이기도 하다. 과학과 문화의 발전 과정에는 '창조성'이라는 공통점이 존재한다. 과학기술사나 문화사의 진화과정을 살펴볼 때 낡은 것을 타파하고 새로운 것을 창조하는 관점은 과학과 문화예술의 공통분모에 다를 바 없다. 그런 의미에서 창조적 상상력을 통해 문화중심도시를 만들어가자는 광주의 꿈과 첨단과학의 총아인 국제과학비즈니스 벨트 유치는 거의 숙명적인 연관관계를 갖는다고 볼 수 있는 것이다. 아시아 문화중심도시로 비상하고자 하는 창조도시 광주의 꿈 또한 과학기술과 문화가 융합되는 전망 속에서 그 지평이 확대될 수 있다는 얘기다.

　국제과학비지니스벨트 유치는 이렇듯 광주발전의 핵심 성장동력을 만드는 일이다. 광주공동체의 꿈이다. 그런데 이 꿈은 시민 모두가 함께 꾸는 꿈이 되어야 한다. 한데 힘을 모아야 할 일이다. 세상을 바꿀 힘이기 때문이다.

- 〈무등일보〉, 2011. 4. 26.

청소년 문화교육은
공동체 성장의 비타민

광주문화재단이 개최하는 '문화나무 상상강좌'에 대한 관심이 뜨겁다. 이 강좌는 시민들에게 문화예술에 대한 폭넓은 시각과 문화감식력을 높이기위해 마련한 연중기획 프로그램이다. 부산국제영화제를 아시아대표영화제로 우뚝 세운 김동호 前 집행위원장, 우리 시대 광대를 자처한 김명곤 前 문화부장관이 이미 다녀갔고 오는 24일에는 서울 정동극장장을 지낸 최태지 국립발레단 예술감독이 광주시민을 만난다.

'문화나무 상상강좌'와 같은 문화예술교육이 새로운 형태의 문화예술 프로그램으로 부각된 지 오래다. 오늘날 박물관이나 미술관과 같은 문화공간이나 문화예술단체들은 교육프로그램을 핵심적인 역할 중 하나로 다루고 있다.

문화예술조직에서 문화예술교육 프로그램이 중요한 의미를 갖는 이유는 두 가지로 정리할 수 있다. 하나는 독립적인 프로그램으로서의 고유한 가치이며 다른 하나는 장기적 관점의 관객개발 수단으로서의 가치이다.

먼저 문화예술교육 프로그램의 흡인력이나 지속적인 성과로 말하면 공연이나 전시 못지 않다. 기획자의 창의적인 아이디어에 따라 무한한 발전과 변용이 가능한 것도 큰 매력이다. 문화예술교육은 공연이나 전시 없이도 공연장과 전시장, 그리고 예술가들이 시민들과 만날 수 있는 계기를 만들어주고 있다. 즉 교육프로그램이 그 자체로서 공연이나 전시와 마찬가지로 하나의 독립된 가치를 갖는 프로그램으로서의 역할을 할 수 있는 것이다.

문화예술교육 프로그램에서 발견할 수 있는 또 다른 가치는 장기적인 관객 개발 수단으로서의 역할이다. 요즈음 문화예술에 대한 관심이 지속적으로 높아지고 있지만 동시에 새로운 경쟁자를 맞이하고 있는 실정이다. 훨씬 다양해진 방송 콘텐츠, 인터넷이나 모바일 등을 바탕으로 급속히 성장한 게임 등이 경쟁상품으로 떠올랐다. 이러한 여건 속에서 관객들이 더 많은 시간과 금전과 열정을 문화예술 활동에 투자하려면 교육프로그램의 확대가 대안이 될 수 있다.

이와 같이 문화예술교육이 날로 중요해져 가는데 특히 청소년들을 위한 교육의 필요성은 커질 수밖에 없다. 그들이 미래사회의 주역인 탓이다. 문화적 감수성이 풍부한 청소년층이 두터울수록 행복한 미래사회가 다가설 가능성은 그만큼 높아질 여지가 많다.

지구촌 대다수의 도시들은 지금 문화도시를 도시성장의 핵심 키워드로 상정하고 있는 상태이다. 따라서 문화도시로의 지속성장을 위해서는 미래의 꿈나무들인 청소년층의 문화적 상상력이 그만큼 중요한 경쟁력이 될 수밖에 없다.

정부도 이러한 관점에서 많은 노력을 기울이고 있는 중이다. 2005년 한국문화예술교육진흥원이 설립되어 적지 않은 예산을 청소년 문화교육에 투자하고 있다. 이러한 정부 정책에 힘입어 우리 지역 광주에도 광역문화예술교육센터가 만들어져 올해로 3년째 각종 사업들을 펼치고 있다. 특히 광주의 경우 남다른 성과를 기록하고 있는 것으로 알려져 있다.

광주문화재단이 출범한 이후 교육센터의 청소년 교육 사업들은 더욱 활성화되고 심화될 전망이다. 문화재단 출범의 비전이 그 설립취지문에서 밝힌 바와 같이 문화창조도시 및 아시아문화중심도시로의 도약을 힘차게 견인하기 위한 것이라면, 문화도시로의 지속 성장을 위한 청소년층을 대상으로 한 문화예술교육이 그만큼 중차대한 과제로 상정될 수밖에 없는 까닭이다.

더욱 고무적인 것은 예향의 전통을 지닌 터에서 나고 자란 탓인지 이 지역 청소년들이 남다른 문화적 소양을 갖추고 있다는 점이다. 문화도시로의 도약이 공동체의 미래비전으로 설정된 상황에서 미래의 주역들인 청소년들이 문화적으로 차별화된 DNA를 지니고 있다는 사실은 성공을 약속받았음에 다를 바가 없다. 이 지역 청소년들의 문화적 소양은 결국 지역공동체 성장의 비타민이 될 게 틀림없다.

- 〈무등일보〉, 2011. 3. 22.

문화도시
그 풍경과 속살

초판 1쇄 찍은 날 2017년 2월 27일
초판 1쇄 펴낸 날 2017년 3월 7일

지은이 박선정
펴낸이 송광룡
펴낸곳 도서출판 심미안
주소 61489 광주광역시 동구 천변우로 487(학동) 2층
전화 062-651-6968
팩스 062-651-9690
메일 simmian21@hanmail.net
블로그 blog.naver.com/munhakdlesimmian
등록 2003년 3월 13일 제05-01-0268호

값 15,000원
ISBN 978-89-6381-205-2 03300